D1536029

SCIENCE ET TECHNOLOGIE
et Science et technologie de l'environnement

APPLICATIONS TECHNOLOGIQUES ET SCIENTIFIQUES
et Science et environnement

2e cycle
du secondaire

2e année

Manuel de l'élève

Volume 3

SCIENCE tech
AU SECONDAIRE

UN REGARD SUR L'ENVIRONNEMENT

Claude Dignard

Éditions Grand Duc
Groupe Éducalivres inc.
955, rue Bergar, Laval (Québec) H7L 4Z6
Téléphone: 514 334-8466 • Télécopie: 514 334-8387
InfoService: 1 800 567-3671

REMERCIEMENTS

Pour leur travail de révision scientifique, l'Éditeur souligne la collaboration de :
M. Pierre Courtois, M. ing (maîtrise en génie de production automatisée), professeur au département de génie mécanique, Cégep St-Jérôme ;
M. Simon Lupien, M. ing (maîtrise en génie mécanique), professeur au département de génie mécanique, Cégep St-Jérôme.

Pour leur travail de validation pédagogique, l'Éditeur tient à remercier les personnes suivantes :
Mme Isabelle Cayer, enseignante, École polyvalente de Matane, C. s. des Monts-et-Marées ;
M. Harold Tremblay, enseignant, École secondaire de L'Odyssée / Dominique Racine, C. s. des Rives-du-Saguenay ;
M. Jean-Marie Duchamp, enseignant, École secondaire Antoine-Brossard, C. s. Marie-Victorin ;
M. Jacques Chagnon, enseignant, Collège Saint-Paul, Varennes ;
Mme Marie-Josée Laventure, enseignante, Polyvalente Chanoine-Armand-Racicot, C. s. des Hautes-Rivières ;
M. Martin Vigneault, enseignant, École Saint-Pierre et des Sentiers, C. s. des Premières-Seigneuries ;
Mme Isabelle Girard, enseignante, École Saint-Pierre et des Sentiers, C. s. des Premières-Seigneuries ;
M. Raynald Dancause, enseignant, École secondaire Roger-Comtois, C. s. de la Capitale ;
Mme Denise Préfontaine, enseignante, École secondaire du Mont-Sainte-Anne, C. s. des Premières-Seigneuries ;
M. Mounir Kahouadji, enseignant, École secondaire de la Magdeleine, C. s. des Grandes-Seigneuries ;
Mme Isabelle Martel, enseignante, Académie Michèle-Provost inc. ;
Mme Marie-Ange Jadotte, enseignante, École secondaire Père-Marquette, C. s. de Montréal ;
Mme Régine Maurice, enseignante, École secondaire Père-Marquette, C. s. de Montréal ;
Mme Sylvie Bérubé, enseignante, Externat Sacré-Coeur, Rosemère ;
Mme Karine Tardif, enseignante, École secondaire Saint-Maxime, C. s. de Laval ;
M. Mario Pelletier, enseignant, École secondaire Marguerite-De-Lajemmerais, C. s. de Montréal.

Pour sa contribution au volume « Univers technologique », l'Éditeur remercie vivement
M. Dominic Groulx, Ph. D. ing., professeur adjoint au département de génie mécanique à l'Université Dalhousie, Halifax ;
Mme Caroline Valiquette, rédactrice scientifique.

AU SECONDAIRE

© 2009, **Éditions Grand Duc,** une division du Groupe Éducalivres inc.
Tous droits réservés

Nous reconnaissons l'aide financière du gouvernement du Canada par l'entremise du Programme d'aide au développement de l'industrie de l'édition (PADIÉ) pour nos activités d'édition.

Gouvernement du Québec – Programme de crédit d'impôt pour l'édition de livres – Gestion SODEC

L'approbation de cet ouvrage par le ministère de l'Éducation, du Loisir et du Sport n'implique aucune reconnaissance quant à la délimitation des frontières du Québec.

CONCEPTION GRAPHIQUE : Marie-Violaine Lamarche.
ILLUSTRATIONS : Bertrand Lachance, Serge Rousseau.

CODE PRODUIT 3745
ISBN 978-2-7655-0249-4

Dépôt légal
Bibliothèque et Archives nationales du Québec, 2009
Bibliothèque et Archives Canada, 2009

Imprimé au Canada

1 2 3 4 5 6 7 8 9 0 F 8 7 6 5 4 3 2 1 0 9

SOMMAIRE

Programme Science et technologie et Option Science et technologie de l'environnement

Les concepts du programme *Science et technologie* sont indiqués à l'aide de pastilles bleues avec l'abréviation ST et les concepts de l'option *Science et technologie de l'environnement* sont indiqués à l'aide de pastilles vertes avec l'abréviation STE.

UNIVERS TECHNOLOGIQUE

CONCEPTS ABORDÉS

STE

- Projection axonométrique : vue éclatée (lecture)
- Projection orthogonale à vues multiples (dessin d'ensemble)
- Tolérances dimensionnelles

CONCEPTS ABORDÉS

ST

- Caractéristiques des liaisons mécaniques
- Fonctions de guidage
- Systèmes de transmission du mouvement (roues de friction, poulies et courroies, engrenage, roues dentées et chaîne, roue et vis sans fin)
- Changements de vitesse
- Systèmes de transformation du mouvement (vis et écrou, cames, bielles, manivelles, coulisses et systèmes bielle et manivelle, pignon et crémaillère)

STE

- Adhérence et frottement entre les pièces
- Degré de liberté d'une pièce
- Excentriques

Programme **Applications technologiques et scientifiques** et Option **Science et environnement**

Les concepts du programme *Applications technologiques et scientifiques* sont indiqués à l'aide de pastilles rouges avec l'abréviation **ATS**. Aucun concept de l'option Science et environnement n'est abordé dans ce manuel.

UNIVERS TECHNOLOGIQUE

CONCEPTS ABORDÉS

ATS
- Projection orthogonale à vues multiples (dessin d'ensemble)
- Cotation fonctionnelle
- Développements (prisme, cylindre, pyramide, cône)
- Standards et représentations (schémas, symboles)

CONCEPTS ABORDÉS

- Adhérence et frottement entre les pièces
- Liaisons des pièces mécaniques (degré de liberté d'une pièce)
- Fonctions de guidage
- Systèmes de transmission du mouvement (roues de friction, poulies et courroies, engrenage, roues dentées et chaîne , roue et vis sans fin)
- Changements de vitesse
- Couple résistant, couple moteur
- Systèmes de transformation du mouvement (vis et écrou, cames, excentriques, bielles, manivelles, coulisses et systèmes bielle et manivelle, pignon et crémaillère)

CONCEPTS ABORDÉS

- Fonction d'alimentation
- Fonctions de conduction, d'isolation et de protection (résistance et codification, circuit imprimé)
- Fonctions de commandes types (unipolaire, bipolaire, unidirectionnel, bidirectionnel)
- Fonctions de transformation de l'énergie (électricité et lumière, chaleur, vibration, magnétisme)
- Autres fonctions (condensateur, diodes, transistor, relais semi-conducteur)

Le manuel *Science-tech au secondaire* couvre les programmes et options suivants :

- Programme Science et technologie (ST)
- Option Science et technologie de l'environnement (STE)
- Programme Applications technologiques et scientifiques (ATS)
- Option Science et environnement (SE)

Pictogrammes :

ST Indique que la section ou la sous-section est au programme ST.

STE Indique que la section ou la sous-section est au programme STE.

ATS Indique que la section ou la sous-section est au programme ATS.

SE Indique que la section ou la sous-section est au programme SE.

Indique que des fiches reproductibles sont disponibles dans le guide d'enseignement.

UNIVERS

Pages d'ouverture

Titre de l'univers : Dans le volume 1, l'univers matériel a été scindé en deux ;
il est par conséquent présenté sur deux doubles pages d'ouverture intitulées
La matière et *L'énergie*.

Univers : nom de l'univers étudié

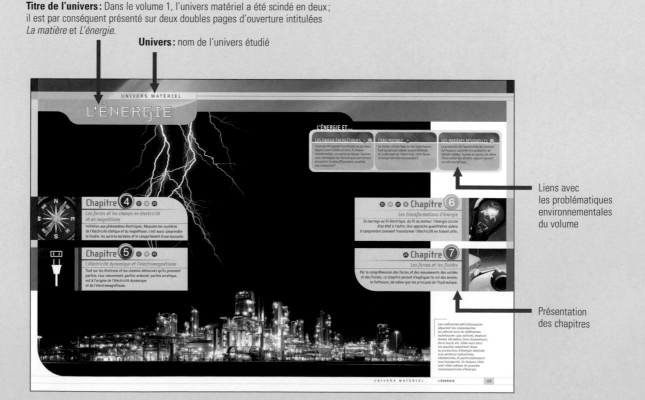

Liens avec
les problématiques
environnementales
du volume

Présentation
des chapitres

CHAPITRES

Page d'ouverture

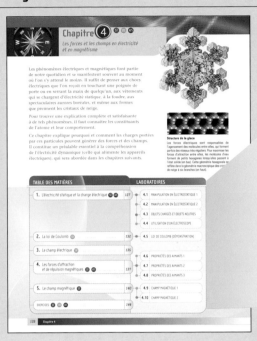

Introduction du chapitre

Table des matières du chapitre

Détail des laboratoires

RUBRIQUES

Rubrique *DÉFI*

L'élève résout une énigme ou effectue une activité qui va le guider dans l'apprentissage du concept ou renforcer l'apprentissage d'un concept présenté précédemment.
Les défis sont classés selon quatre niveaux de difficulté, représentés par des étoiles.

Les défis sont souvent détaillés sur des fiches reproductibles.

★ **DÉFI**
Facile

★★ **DÉFI**
Intermédiaire

★★★ **DÉFI**
Difficile

★★★★ **DÉFI**
Extrême

Rubrique *FOCUS*

Dans cette rubrique, on trouve une anecdote ou des informations se rattachant au sujet traité mais qui sont liées à d'autres champs de connaissances.

+ **FOCUS**

Rubrique *ATELIER*

Le but de chaque atelier technologique est brièvement présenté dans cette rubrique.

Les ateliers sont toujours détaillés sur des fiches reproductibles.

ATELIER

MOTS DU GLOSSAIRE, RUBRIQUES ET SECTIONS

Mot du glossaire

Les mots en **bleu** sont définis dans le glossaire.

...ectrons se sont détachés de leur... ...autre. Des courants ont donc été cr... ...transi...oire, et les décharges étaient... ...ves. En **électricité dynamique**, les... ...écoulement sera constant si on le s... ...pour les canaliser. Nous examineror... ...mettent de générer, de régulariser e... ...avant d'étudier les règles qui les ré...

Rubrique *LABORATOIRE*

L'objectif de chaque laboratoire est brièvement présenté dans cette rubrique.

Les laboratoires sont toujours détaillés sur des fiches reproductibles.

LABORATOIRE

EXERCICES

Chaque chapitre se termine par une série d'exercices classés par section et suivis d'une série d'exercices de synthèse.

EXERCICES

TIROIR TECHNO

Cette section comprend de l'information liée aux laboratoires et aux ateliers de technologie, ainsi que des mesures de sécurité à respecter en atelier.

TIROIR TECHNO

Rubrique *CARRIÈRES*

Cette rubrique présente des métiers ou des professions en lien avec les différents chapitres du manuel.

CARRIÈRES

LA TECHNOLOGIE

Chapitre 13 STE ATS

Le langage des lignes

Tous les objets fabriqués par les êtres humains doivent d'abord être imaginés, puis dessinés avant d'être mis en production. Mais les temps changent. L'ordinateur remplace peu à peu le crayon, jadis le principal outil des dessinateurs et dessinatrices.

Chapitre 14 ST STE ATS

L'ingénierie mécanique

La fabrication de véhicules est depuis plus d'un siècle l'une des principales réalisations mécaniques de notre société. Le souci de respecter l'environnement force maintenant les constructeurs à revoir leurs produits.

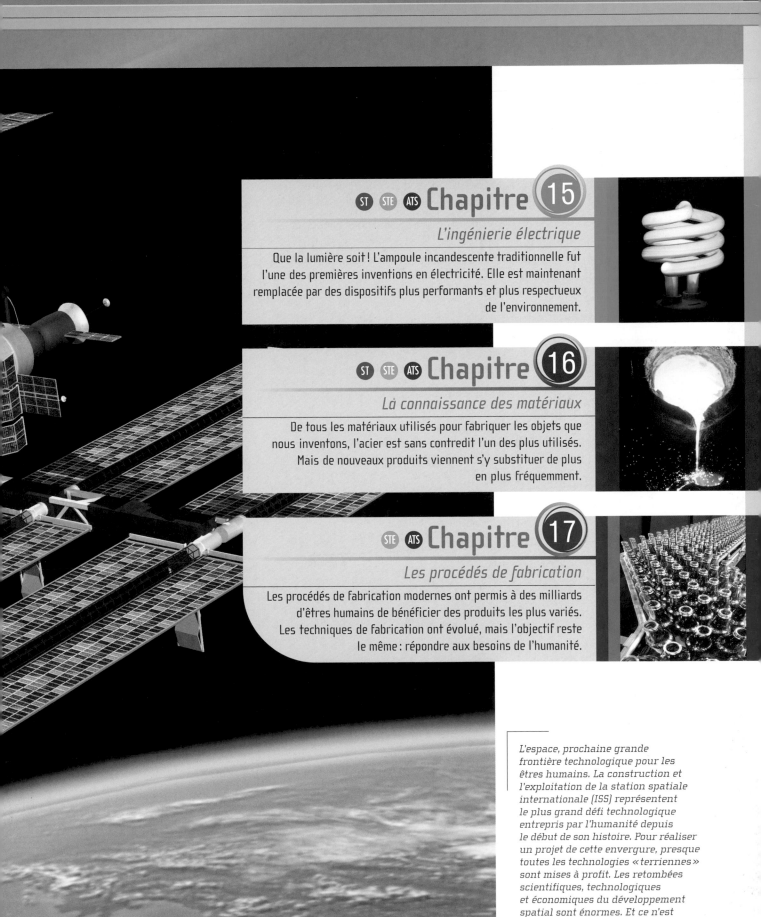

ST STE ATS Chapitre 15

L'ingénierie électrique

Que la lumière soit! L'ampoule incandescente traditionnelle fut l'une des premières inventions en électricité. Elle est maintenant remplacée par des dispositifs plus performants et plus respectueux de l'environnement.

ST STE ATS Chapitre 16

La connaissance des matériaux

De tous les matériaux utilisés pour fabriquer les objets que nous inventons, l'acier est sans contredit l'un des plus utilisés. Mais de nouveaux produits viennent s'y substituer de plus en plus fréquemment.

STE ATS Chapitre 17

Les procédés de fabrication

Les procédés de fabrication modernes ont permis à des milliards d'êtres humains de bénéficier des produits les plus variés. Les techniques de fabrication ont évolué, mais l'objectif reste le même : répondre aux besoins de l'humanité.

L'espace, prochaine grande frontière technologique pour les êtres humains. La construction et l'exploitation de la station spatiale internationale (ISS) représentent le plus grand défi technologique entrepris par l'humanité depuis le début de son histoire. Pour réaliser un projet de cette envergure, presque toutes les technologies «terriennes» sont mises à profit. Les retombées scientifiques, technologiques et économiques du développement spatial sont énormes. Et ce n'est que le début.

Chapitre 13 STE ATS

Le langage des lignes

Le langage du dessin est universel. C'est un langage simple, une représentation que toute personne, quelle que soit sa culture, est à même de comprendre. Or, pour représenter une idée ou une invention, il faut parfois plus qu'un dessin ; celui-ci doit être accompagné de symboles, de marques, de conventions qui expliquent en détail les dimensions de l'objet dessiné, les matériaux avec lesquels il est fabriqué, etc. Le présent chapitre propose de vous aider à maîtriser les codes et les conventions du dessin technique simple.

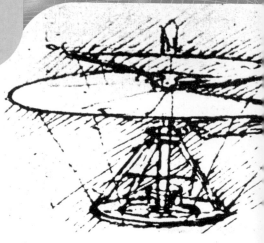

Saviez-vous que Léonard de Vinci, dès le 15e siècle, utilisait déjà des techniques de dessin très semblables à celles que nous appliquons aujourd'hui ? La vue en perspective de son projet de « vis aérienne », considérée comme l'ancêtre de l'hélicoptère, montre ses talents de dessinateur et d'inventeur !

TABLE DES MATIÈRES

À l'origine du processus de conception et de fabrication d'un objet technique, il y a une idée. Afin de partager ce projet avec d'autres personnes qui viendront l'appuyer dans son travail, le concepteur ou la conceptrice doit illustrer son idée par le biais d'un dessin en trois **dimensions** (3D) qui permettra de visualiser le concept. Puis, grâce aux dessins techniques en deux dimensions (2D), l'aspect technique de la fabrication de l'objet sera développé. Il s'agit d'étapes indispensables, car, sans ces deux types de dessins (3D et 2D), il serait impossible de transformer l'idée de départ en un objet réel. La figure 13.1 montre les types de dessins utilisés selon les objectifs visés.

Le schéma de concept ci-dessous présente les objectifs des dessins 3D et 2D, et énumère les divers types de dessins inclus dans ces grandes catégories. Leurs spécifications seront abordées dans le chapitre.

Dessins 2D

À vues multiples

Dessin en projection orthogonale

Dessins 3D

Axonométriques

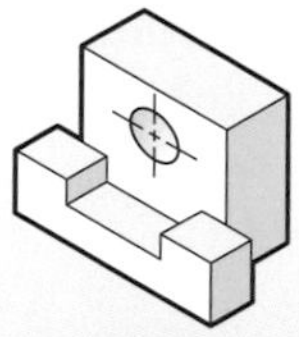

- Isométrique
- Dimétrique
- Trimétrique

Obliques

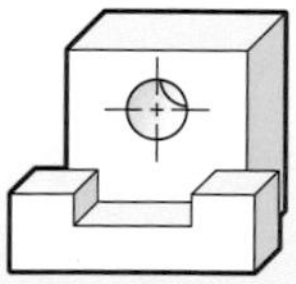

- Oblique cavalier
- Oblique cabinet

Perspective

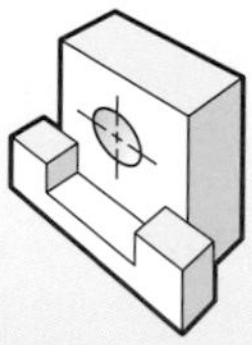

- À trois points de fuite
- À deux points de fuite
- À un point de fuite

Conception graphique

Objectifs du dessin 3D

- Illustrer et communiquer l'image d'un objet qui n'existe pas encore ;
- Donner un aperçu des proportions de l'objet ;
- Fournir des spécifications techniques simples.

Types de dessins 3D

- Perspective à un, deux ou trois points de fuite ;
- Projections obliques ;
- Projections axonométriques (dimétrique, trimétrique et isométrique).

Objectifs du dessin 2D

- Illustrer les spécifications techniques de fabrication ;
- Représenter l'objet à l'échelle ou à la taille réelle.

Type de dessins 2D

- Projections orthogonales.

UN EXEMPLE AVEC LUNA EXPLORATEUR

Le projet Luna Explorateur a été conçu pour que des élèves de la 2e année du 2e cycle du secondaire simulent l'envoi d'un robot sur la Lune afin d'y ramasser un précieux minerai très énergétique et non polluant. À partir d'un cahier des charges, les diverses équipes ont dû inventer un prototype de robot capable de se déplacer sur la Lune et de recueillir les pierres les plus intéressantes. Les figures 13.2 et 13.3 présentent un des dessins et un des prototypes élaborés. ∎

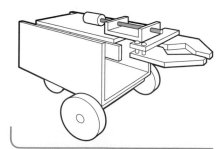

FIG. 13.1 Les différents principes de dessin technique utilisés en conception graphique, selon les besoins.

FIG. 13.2 Dessin 3D du robot

FIG. 13.3 Prototype réel

② LE DESSIN FIGURATIF EN TROIS DIMENSIONS

Projection axonométrique

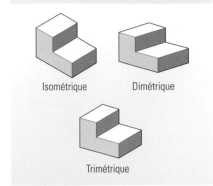

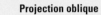

Isométrique   Dimétrique

Trimétrique

Projection oblique

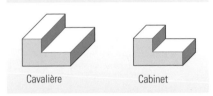

Cavalière   Cabinet

Perspective

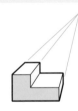

À un point de fuite

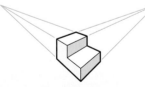

À deux points de fuite

À trois points de fuite

FIG. 13.4 | **Diverses méthodes de réalisation de dessins en trois dimensions**

Le rôle premier du dessin en trois dimensions est d'illustrer, un peu comme s'il s'agissait d'une photo mentale, l'objet que l'on souhaite créer. Il existe plusieurs méthodes pour réaliser des dessins en trois dimensions. Certaines de ces méthodes sont avant tout destinées à représenter l'objet avec un maximum de réalisme (les perspectives), tandis que d'autres servent surtout à transmettre des informations techniques à des personnes dont la formation en dessin est parfois réduite (les projections oblique, isométrique, etc.) (voir la figure 13.4).

2.1 Le dessin en perspective

La perspective à deux points de fuite

Très proche de la photographie, le dessin en perspective à deux **points de fuite** permet d'illustrer, avec un très grand réalisme, la forme que prendra l'objet lorsqu'il aura été fabriqué. Cette méthode s'utilise pour décrire toutes sortes d'objets, selon différents angles, comme le montre la figure 13.5 dans le cas du projet de robot Luna Explorateur.

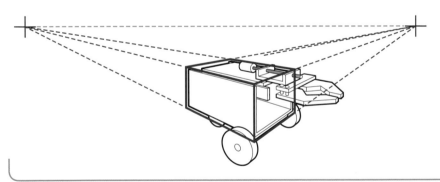

FIG. 13.5 | **Perspective à deux points de fuite du projet de robot Luna Explorateur**

+ FOCUS

Savez-vous ce que signifie le mot *tridimensionnel*? Ce terme se dit d'une chose qui est représentée à l'écran dans un espace à trois dimensions, créant une impression de relief et un effet de réalisme. C'est à peu près ce que vous pouvez voir au cinéma en 3D. On filme toutes les scènes avec deux caméras, puis, au moment de la présentation, on projette les deux films en les polarisant différemment. Les lunettes qu'il faut porter au cours de la représentation permettent à chaque œil de détecter les deux films séparément. C'est cette perception différente pour chaque œil qui permet de voir en trois dimensions. ▪

Comment réaliser une perspective à deux points de fuite ?

Pour réaliser une perspective à deux points de fuite d'un composant complexe, il faut procéder de la façon suivante :

1. Tracer une ligne d'horizon à peu près aux trois quarts de la hauteur de la feuille ;

2. Situer deux points de fuite aux extrémités de la ligne d'horizon ;

3. Tracer une verticale correspondant à l'**arête** verticale avant de l'objet (toutes les droites verticales de l'objet sont tracées verticalement) ;

4. Tracer toutes les droites qui représentent les arêtes horizontales de l'objet en visant les points de fuite.

Il est recommandé de dessiner d'abord une « boîte » qui englobera tout l'objet (voir les figures 13.6 et 13.7). On intègre ensuite les détails de l'objet. Les courbes et les cercles sont dessinés à partir d'un cube obtenu grâce à la technique de la boîte. Cette technique est particulièrement utile pour dessiner un objet complexe qui comporte plusieurs plans (voir la figure 13.7). En 3D, les cercles apparaissent comme des ellipses. ▌

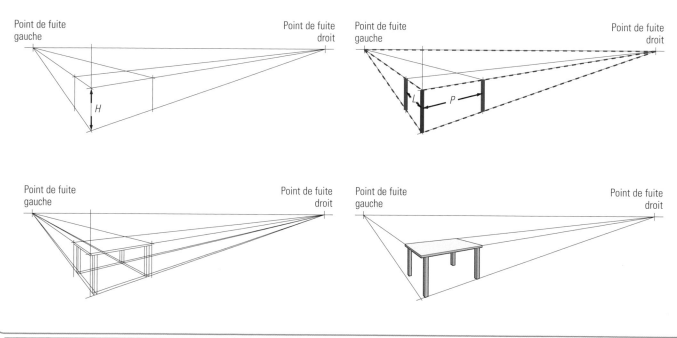

FIG. 13.6 | **Technique de la boîte pour dessiner un objet complexe**
H signifie « hauteur », *P* « profondeur » et *L* « largeur ».

FIG. 13.7 | **Façon de tracer un cercle à l'aide d'une boîte**

Concevoir un support pour CD

Nous utilisons de plus en plus de disques compacts (CD, DVD). Ces disques sont généralement protégés par des boîtes de plastique ou des pochettes de carton. Mais comment les ranger efficacement et esthétiquement? En ayant recours à la technique de la perspective à deux points de fuite, dessinez deux modèles de support pour disques de votre invention. Chacun des supports devra permettre de ranger 10 boîtes de CD ou de DVD. ■

La perspective à un point de fuite

Ce type de dessin en 3D sert surtout à représenter des objets de face tout en gardant une représentation fuyante de la profondeur. On l'utilise souvent pour illustrer l'intérieur d'une pièce. Le point de fuite se trouve alors au centre de la feuille. Pour illustrer des composants simples, on peut situer le point de fuite unique d'un côté ou de l'autre de l'objet.

La perspective est une technique qui permet de représenter, sur une face plane à deux dimensions, ce que l'œil perçoit en trois dimensions. Cette méthode est donc très utile pour les peintres. Le maître en la matière est Léonard de Vinci. Dans ses nombreux travaux scientifiques et techniques, celui-ci utilisa la perspective pour illustrer divers objets qu'il avait imaginés, comme la machine volante, la bicyclette et l'automobile. Parce qu'il était aussi un peintre de génie (il est l'auteur de La Joconde *et de* La Cène, *deux des tableaux les plus célèbres du monde), il pensait que la compréhension de la perspective est indissociable de la pratique du dessin. Pour lui, l'art de la peinture était aussi une science.* ■

Comment réaliser une perspective à un point de fuite?

Pour réaliser une perspective à un point de fuite d'un composant simple, il faut procéder de la façon suivante :

1. Dessiner le contour avant de l'objet vu de face, en grandeur réelle ou à l'échelle ;

2. Tracer une ligne d'horizon, puis, sur cette ligne, déterminer un point de fuite, généralement un peu à gauche ou à droite de l'objet ;

3. Tracer les lignes fuyantes représentant la profondeur en visant le point de fuite ;

4. Estimer la profondeur de l'objet et tracer le contour arrière de l'objet ;

5. Effacer les lignes de construction et réaliser le tracé final foncé de l'objet.

Ces étapes sont représentées à la figure 13.8. ■

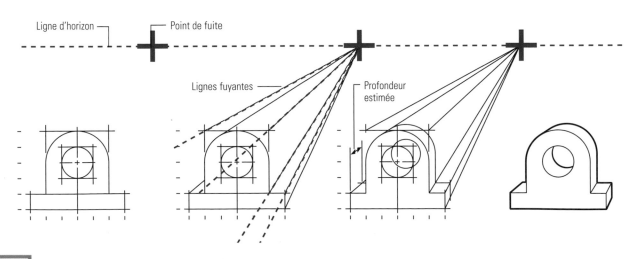

Ligne d'horizon — Point de fuite

Lignes fuyantes — Profondeur estimée

FIG. 13.8   Technique de dessin en perspective à un point de fuite d'un composant simple

2.2 Le dessin en projection oblique et axonométrique

La projection oblique

Une projection oblique (voir la figure 13.9) se réalise de la même façon qu'une perspective à un point de fuite, sauf que les lignes qui illustrent la profondeur de l'objet sont tracées parallèlement les unes aux autres, généralement à 45° (au lieu de viser un point de fuite). Cela a pour conséquence de déformer l'objet. Cette technique a cependant l'avantage d'être plus simple et plus rapide. En outre, on peut aisément réaliser de telles projections avec du papier quadrillé standard.

La projection axonométrique

La **projection axonométrique** sert principalement à représenter des pièces simples dans le but de les fabriquer. Les lignes illustrant les diverses dimensions étant parallèles, les objets sont déformés, mais la rapidité de réalisation et la clarté des dessins obtenus rendent cet inconvénient secondaire dans un contexte de fabrication. On ajoute souvent au dessin les mesures requises pour guider les personnes qui fabriqueront l'objet. Cette catégorie regroupe les projections isométriques, dimétriques et trimétriques (voir la figure 13.10).

Seule la réalisation de la **projection isométrique** sera traitée dans ce manuel, celle-ci étant de loin la plus utilisée dans les bureaux de dessins et les ateliers.

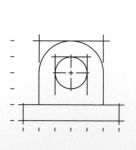
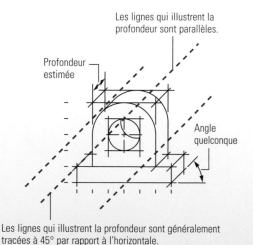
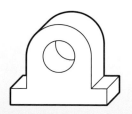

Les lignes qui illustrent la profondeur sont parallèles.

Profondeur estimée

Angle quelconque

Les lignes qui illustrent la profondeur sont généralement tracées à 45° par rapport à l'horizontale.

FIG. 13.9 Le composant illustré à la figure 13.8 est ici représenté en projection oblique.

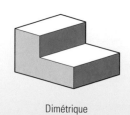
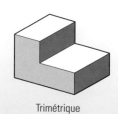

Isométrique

Dimétrique

Trimétrique

FIG. 13.10 Les trois types de projections axonométriques

Comment réaliser un dessin en projection isométrique?

Les étapes décrites ci-dessous se rapportent à la figure 13.11.

1. Observer l'objet à dessiner en le plaçant de telle sorte que les deux arêtes avant forment un angle de 30° par rapport à une droite de référence horizontale;

2. Sur cette droite, tracer une ligne verticale de départ (**AB**) égale à la hauteur de l'objet;

3. À partir de la base avant de l'objet (point **A**), tracer deux droites à 30° (**AC** et **AD**), qui constituent la base d'une boîte de construction dans laquelle l'objet sera inclus;

4. Tracer les lignes du haut de la boîte, aussi à 30° (**BE** et **BF**), qui seront donc parallèles aux lignes formant la base de la boîte;

5. Fermer l'arrière de la boîte en traçant deux autres lignes à 30° (**EG** et **FG**);

6. S'il y a lieu, tracer les autres boîtes de construction correspondant aux différentes parties de l'objet à illustrer, ainsi que tous les détails de l'objet;

7. Effacer les lignes de construction et réaliser le tracé final foncé de l'objet. ∎

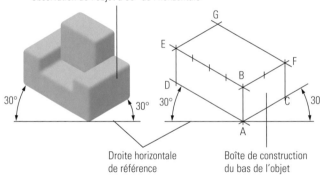

Observation de l'objet à 30° de l'horizontale

Droite horizontale de référence

Boîte de construction du bas de l'objet

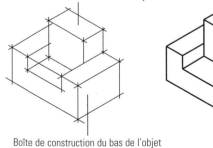

Boîte de construction du haut de l'objet

Boîte de construction du bas de l'objet

FIG. **13.11** | **Méthode pour dessiner un objet simple en projection isométrique**

En isométrie, toutes les droites verticales dans la réalité sont tracées verticalement et toutes les droites horizontales dans la réalité sont tracées à 30°.

2.3 Le dessin en vue éclatée (en isométrie)

Cette méthode de dessin isométrique permet d'illustrer clairement les différents composants d'un objet et de les situer les uns par rapport aux autres (voir la figure 13.12). Les mesures de ces composants sont souvent précisées, pour faciliter la fabrication et l'assemblage. On utilise ce type de dessin dans les ateliers de fabrication et dans les catalogues de pièces des fournisseurs.

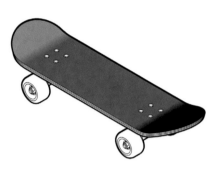

Isométrie

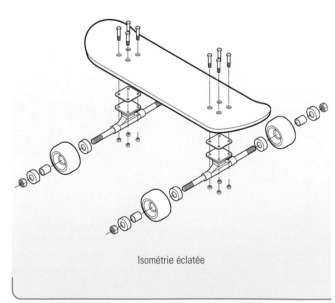

Isométrie éclatée

FIG. **13.12** | Planche à roulettes dessinée en projection isométrique et en iso-métrie éclatée, pour faire ressortir à la fois la forme et la position de chaque pièce.

3 LE DESSIN EN PROJECTION ORTHOGONALE

Le dessin figuratif est très utile pour représenter un objet avant même qu'il existe (dessin en perspective ou en projection oblique) ou pour montrer les formes et les mesures d'une pièce simple dans le but de la fabriquer (isométrie). Cependant, dès qu'on souhaite concevoir et fabriquer un objet un tant soit peu complexe, cette méthode de dessin s'avère insuffisante. Il faut alors se tourner vers le dessin technique en deux dimensions appelé **projection orthogonale**. Cette technique de dessin a pour avantage de montrer l'objet dans ses proportions réelles et sans déformation.

3.1 Les principes

La projection orthogonale permet d'obtenir un dessin en deux dimensions (2D), dont toutes les parties sont en proportion, en observant l'objet depuis des positions où la ligne de visée forme un angle de 90° avec l'objet (voir la figure 13.13). Placée de cette façon, la personne qui observe est cependant incapable de voir la troisième dimension (dans l'illustration de la figure 13.13, la largeur).

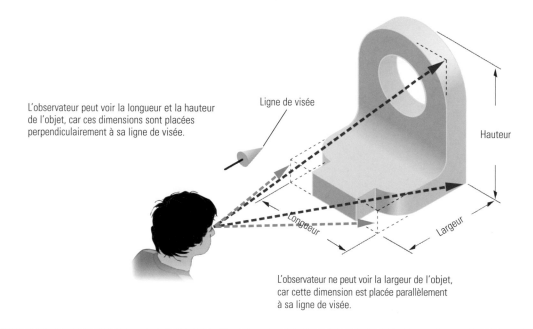

L'observateur peut voir la longueur et la hauteur de l'objet, car ces dimensions sont placées perpendiculairement à sa ligne de visée.

Ligne de visée

Hauteur

Longueur

Largeur

L'observateur ne peut voir la largeur de l'objet, car cette dimension est placée parallèlement à sa ligne de visée.

FIG. 13.13 La projection orthogonale demande qu'on observe l'objet avec une ligne de visée formant un angle de 90° avec cet objet.

On regarde successivement l'objet de face, du dessus, puis de la droite en le faisant pivoter de 90° de manière à l'observer selon des lignes de visée perpendiculaires entre elles (voir la figure 13.14). Chacune des trois vues principales ainsi obtenues montre deux des trois dimensions de l'objet :

Face : la hauteur et la longueur ;

Dessus : la longueur et la largeur ;

Côté droit : la largeur et la hauteur.

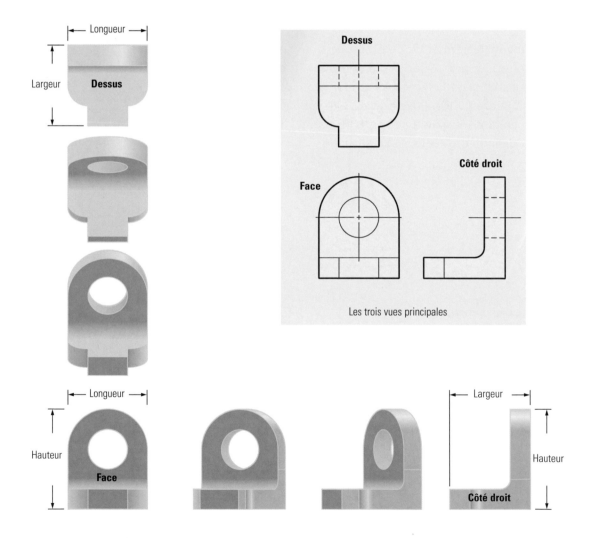

FIG. 13.14 **Les trois vues principales en projection orthogonale**
Pour regarder les trois vues principales de l'objet (face, dessus et côté droit) avec une ligne de visée à 90°, on fait pivoter l'objet pour changer le point d'observation.

3.2 La position et l'alignement des vues

La figure 13.15 illustre les six vues standards que l'on peut obtenir grâce à la technique des projections orthogonales, selon la position prise par l'observateur ou observatrice. Il est important de noter que, dans la réalisation des dessins, tous les points des vues de dessus, dessous, de côté (droit et gauche) et arrière sont alignés sur la vue de face. Les figures 13.15 à 13.17 détaillent la convention nord-américaine pour le choix des vues.

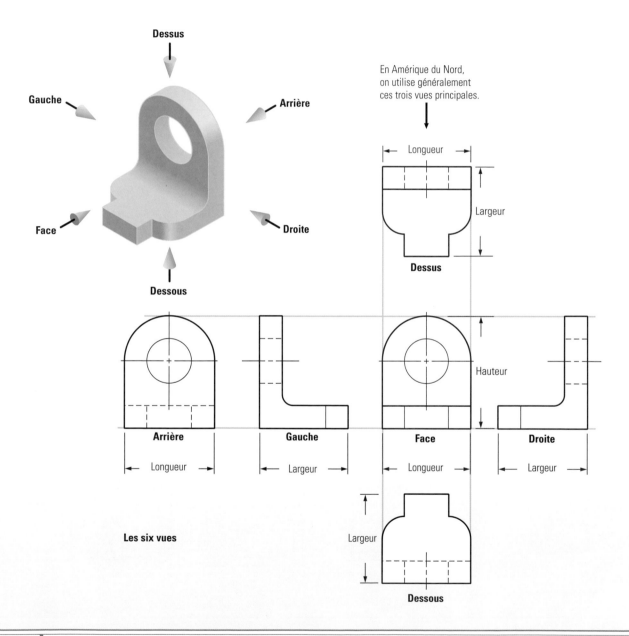

FIG. 13.15 Le dessin en projection orthogonale permet de voir l'objet selon six vues différentes. En général, on utilise les trois vues principales illustrées à la figure 13.14.

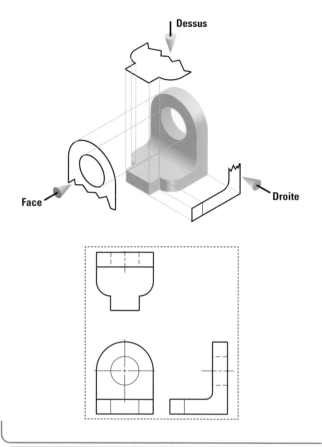

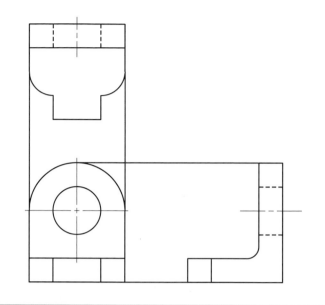

À titre d'exemple, la figure 13.18 présente la façon correcte de positionner et d'aligner les vues d'un objet, ainsi que les façons incorrectes.

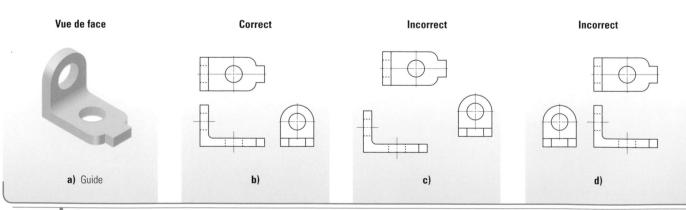

Vue de face **Correct** **Incorrect** **Incorrect**

a) Guide **b)** **c)** **d)**

3.3 Les traits conventionnels et les types de tracés

Pour réaliser les divers tracés, on se sert de toute une variété de **traits conventionnels**, chacun représentant un aspect particulier du dessin (voir la figure 13.19). La figure 13.20 illustre l'utilisation de ces tracés sur un dessin technique.

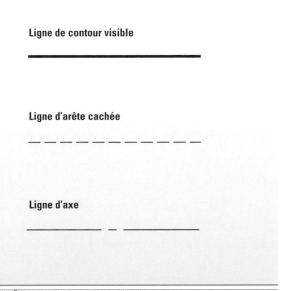

Ligne de contour visible

Ligne d'arête cachée

Ligne d'axe

Ligne d'arête cachée

Ligne de contour

Ligne d'axe

| FIG. **13.19** | Traits conventionnels utilisés pour illustrer divers aspects d'un dessin |

| FIG. **13.20** | Utilisation des trois types de traits conventionnels présentés à la figure 13.19 |

3.4 Le tracé préliminaire et le tracé final

Au moment de la réalisation d'un dessin, il faut d'abord faire un brouillon, c'est-à-dire un tracé de construction. Lorsque celui-ci est terminé, il suffit de repasser par-dessus pour le rendre définitif ou final. Le tracé de construction (ou **tracé préliminaire**) doit être aussi pâle que possible. Le tracé de finition (ou **tracé final**) doit toujours être foncé.

3.5 L'échelle

Évidemment, il serait beaucoup plus simple de dessiner les objets à taille réelle. Cependant, il est impensable de tenter de dessiner une maison ou un véhicule, par exemple, selon ses mesures réelles. C'est pour cette raison que l'on a recours aux échelles. Celles-ci servent à réduire ou à augmenter, de façon proportionnelle, toutes les dimensions d'un objet de telle sorte qu'il soit possible de le reproduire sur une feuille de papier.

EXEMPLE 1 :

Un objet réel mesure 1 m (100 cm) de longueur dans la réalité. On veut réduire cette longueur à 5 cm sur la feuille de papier.

Objet réel : 100 cm	*Objet dessiné :* 5 cm

Donc 100 cm (longueur réelle) ÷ 5 cm (dessin) = 20 (facteur de réduction)

L'échelle utilisée est donc : 1 : 20.

Dimension sur la feuille de papier (1er chiffre) / Dimension réelle (2e chiffre)

Ainsi, chaque centimètre sur la feuille de papier représentera 20 cm dans la réalité.

EXEMPLE 2 :

Un objet réel mesure 1 cm de long dans la réalité. Sur la feuille de papier, on veut l'agrandir pour qu'il y mesure 10 cm de long.

Objet réel : 1 cm	*Objet dessiné :* 10 cm

Donc 1 cm (longueur réelle) × 10 cm (dessin) = 10 (facteur d'augmentation)

L'échelle utilisée est donc : 10 : 1.

Dimension sur la feuille de papier (1er chiffre) / Dimension réelle (2e chiffre)

Ainsi, 10 cm sur la feuille de papier représenteront 1 cm dans la réalité.

3.6 Les coupes et les sections

Un dessin technique complexe en projection orthogonale renferme souvent un grand nombre de lignes cachées, qui peuvent rendre sa compréhension difficile. Pour réduire le nombre de lignes cachées (voir la figure 13.21), on utilise la technique de la coupe (voir la figure 13.22).

Pour réaliser une coupe, on fait passer un **plan de coupe** à un endroit stratégique de la pièce et on enlève mentalement un des morceaux de cette pièce (comme si on la sciait avec une scie imaginaire). Cette technique permet de voir l'intérieur de la pièce. On indique la position du plan de coupe, noté B à la figure 13.22, par une ligne fléchée large (voir la figure 13.23).

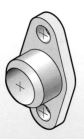

Les lignes de détail cachées ne décrivent pas la pièce clairement.

FIG. 13.21 | **Pièce dessinée avec des lignes cachées pour illustrer les détails**
Plus on ajoute de lignes cachées, plus la lecture du dessin devient difficile.

Plan de coupe — Partie avant enlevée — B — Trace du plan de coupe

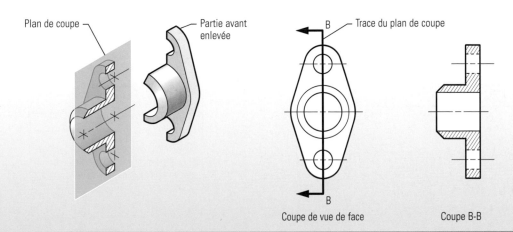

Coupe de vue de face   Coupe B-B

FIG. 13.22 | **Plan de coupe passant à travers la pièce pour permettre d'en voir l'intérieur**
Une ligne fléchée (de coupe) situe la position de la coupe.

FIG. 13.23 | **Deux types de lignes de coupe servant à indiquer la position du plan de coupe sur le dessin**

Pour représenter les **sections** des matériaux qui ont été coupées par le plan de coupe, on utilise des **hachures** généralement tracées à 45° dans la section de matériau coupée. Chaque type de matériau est représenté par des hachures spécifiques (voir la figure 13.24).

Toute matière ou fonte

Magnésium, aluminium et alliages d'aluminium

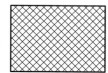

Métal blanc, plomb, zinc, alliages antifriction (babbit) et alliages

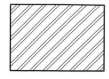

Acier

Coupe longitudinale

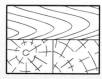

Coupe transversale

Bois

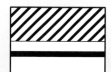

Isolants électriques, mica, fibre, vulcanite, bakélite et autres matières plastiques

Matériaux transparents

FIG. 13.24 Différents types de lignes de hachures utilisées selon la sorte de matériau à représenter

3.7 La cotation

La cotation consiste à placer les différentes mesures sur les dessins techniques. Pour effectuer cette opération, on a recours à quatre éléments, illustrés à la figure 13.25.

Les lignes de cote

Lignes fléchées, très fines, indiquant où la mesure commence et où elle se termine.

Les lignes d'attache

Lignes très fines (perpendiculaires à la ligne de cote), prolongeant la partie du dessin dont on veut indiquer la mesure.

La cote

Nombre indiquant la mesure réelle de la partie de l'objet que l'on veut coter.

La ligne d'annotation

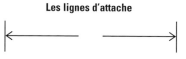

Bois
Pièce en bronze

Ligne munie d'un point ou d'une flèche et indiquant une surface (point) ou un détail précis du dessin (flèche).

FIG. 13.25 Les quatre éléments de la cotation

Comment obtenir un dessin technique clair et précis ?

Pour obtenir un dessin technique clair et précis, il faut placer adéquatement les cotes, de manière à ce que le dessin soit compréhensible par tout le monde et ne comporte aucune ambiguïté. Voici quelques règles à suivre, dont les exemples sont tirés de la figure 13.26 :

- La cote de largeur maximale se place sous la vue de face (*ex. :* 68) ;

- La cote de profondeur maximale se place sous la vue du côté droit (*ex. :* 70) ;

- La cote de hauteur maximale se place à droite de la vue du côté droit (*ex. :* 88) ;

- Les cotes de détails se placent entre les vues ;

- Les rayons et les diamètres sont indiqués par des flèches qui visent le centre des cercles ou qui partent du centre de ces derniers. Un rayon est représenté par la lettre *r* et un diamètre par le symbole φ (*ex. : r* 34, φ 28) ;

- La position des centres est spécifiée en utilisant les lignes d'axe comme une ligne d'attache.

À noter : lorsque l'espace est trop petit pour placer une ligne de cote entre les lignes d'attache, on trace des lignes de cote inversées (*ex. :* 14 et 20) ∎

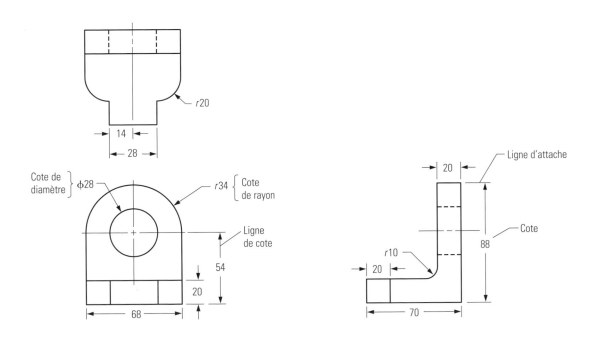

FIG. 13.26 | **Les quatre éléments de la cotation placés sur un dessin en projection orthogonale**
Dans cette figure, qui n'a pas été réalisée à l'échelle, les cotes sont en millimètres.

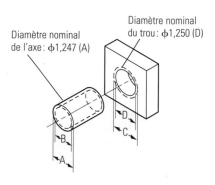

Diamètre nominal de l'axe : φ1,247 (A)

Diamètre nominal du trou : φ1,250 (D)

Dimensions avec tolérance

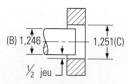

(B) 1,246 — 1,251(C)

½ jeu

L'ajustement le moins serré
Arbre minimal dans trou maximal

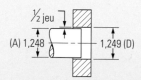

½ jeu

(A) 1,248 — 1,249 (D)

L'ajustement le plus serré
Arbre maximal dans trou minimal

Dimensions avec tolérance
Diamètre de l'axe : 1,247 cm ± 0,001
Diamètre du trou : 1,250 cm ± 0,001

FIG. 13.27 | **Une tige cylindrique devant entrer dans le trou rond d'une autre pièce**

Les deux pièces sont cotées en précisant les dimensions maximale et minimale de la tige et du trou. Dans cette figure, qui n'a pas été réalisée à l'échelle, les cotes sont en centimètres.

3.8 Les tolérances

Au moment de la fabrication d'un objet, il peut s'avérer nécessaire d'obtenir un niveau de précision élevé, par exemple quand deux pièces doivent s'imbriquer l'une dans l'autre. On intègre alors dans le dessin la notion de **tolérance** (ou variation acceptable). Cela signifie qu'on indique les mesures maximale et minimale que chaque pièce peut avoir. Généralement, cette tolérance dans les dimensions est de l'ordre de quelques millièmes ou dizaines de millièmes d'unité, selon le système de mesures employé.

L'exemple d'un axe rond qui doit entrer dans un trou rond avec un certain ajustement montre bien l'utilité des tolérances (voir la figure 13.27).

Pour comprendre le principe de tolérance illustré à la figure 13.27, il est important de définir certains termes.

- **Cote nominale** : cote qui indique la dimension parfaite et qui sert de base pour déterminer les écarts, les limites et la tolérance.
  Axe : φ1,247 cm   Trou : φ1,250 cm

- **Cote nominale et écart permis** : cote qui indique la dimension parfaite, à côté de laquelle on inscrit l'écart maximal et minimal que l'on peut atteindre pour que la pièce soit acceptable.
  Axe : φ1,247 cm ± 0,001   Trou : φ1,250 cm ± 0,001

- **Cotes limites** : cotes qui indiquent les dimensions maximale (cote supérieure) et minimale (cote inférieure) que la pièce peut avoir pour demeurer acceptable.
  Axe : φ1,246 (limite inférieure)   Trou : φ1,249 (limite inférieure)
  1,248 (limite supérieure)   1,251 (limite supérieure)

- **Tolérance** : spécification qui donne la valeur de l'imprécision totale permise pour que la pièce demeure acceptable et qui correspond à la différence entre les cotes limites supérieure et inférieure.
  Axe : 0,002 cm   Trou : 0,002 cm

★★★ **DÉFI**

Un support pour CD en projection orthogonale

Dessinez le croquis orthogonal d'un des modèles de support pour CD ou DVD que vous avez conçus.

- Utilisez du papier quadrillé standard (6 mm ou 1/4 po). À l'aide de ruban cellulosique ou de ruban-cache, regroupez et collez quatre feuilles quadrillées pour en faire une seule grande feuille ;
- Dessinez chacune des vues à la grandeur réelle ou à l'échelle ;
- Déterminez et dessinez les lignes d'attache et de cote les plus importantes, et inscrivez la valeur des cotes sur votre dessin. ■

Avant de construire le robot présenté à la figure 13.3, il a d'abord fallu réaliser des dessins en trois dimensions de l'objet. Pour mieux le visualiser, on a tracé un croquis orthogonal à main levée (voir la figure 13.28). Ce type de dessin se fait en respectant les proportions souhaitées de l'objet. Par la suite, on a procédé à la réalisation des dessins d'atelier en projection orthogonale, en les effectuant à l'aide d'instruments (ou à l'ordinateur) à taille réelle ou à l'échelle. ▮

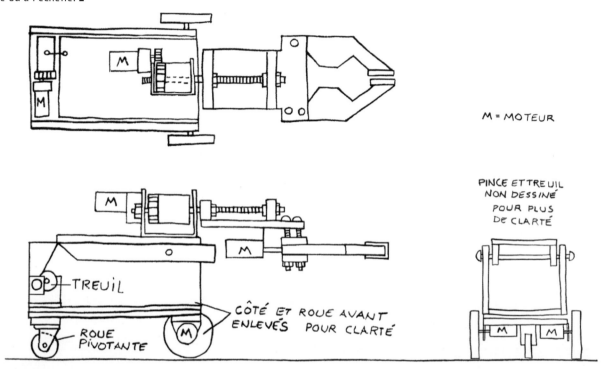

M = MOTEUR

PINCE ET TREUIL NON DESSINÉ POUR PLUS DE CLARTÉ

TREUIL

CÔTÉ ET ROUE AVANT ENLEVÉS POUR CLARTÉ

ROUE PIVOTANTE

FIG. 13.28 Croquis orthogonal de l'ensemble du projet de robot, réalisé à main levée.

Les dessins d'atelier peuvent comprendre :

- le dessin orthogonal global du projet, qui ressemble au croquis tracé à main levée, mais qui est réalisé avec des instruments et à l'échelle ;

- le dessin orthogonal de chaque pièce du projet, tracé avec des instruments et à l'échelle (voir la figure 13.29).

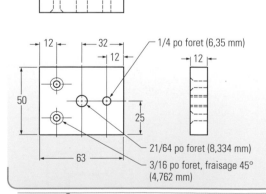

1/4 po foret (6,35 mm)

21/64 po foret (8,334 mm)

3/16 po foret, fraisage 45° (4,762 mm)

FIG. 13.29 Dessin en projection orthogonale d'une pièce constituant la pince du robot.

Ce dessin a été réalisé avec des instruments, à l'échelle.

4 LES STANDARDS ET LES REPRÉSENTATIONS

Un grand nombre de disciplines ont recours aux différentes techniques de dessin industriel, dont la mécanique, l'électricité, l'aménagement paysager et l'architecture. Pour représenter les aspects spécifiques de chacune des disciplines, on emploie une variété impressionnante de symboles particuliers. Quelques exemples sont illustrés dans les figures 13.30 à 13.32.

En mécanique

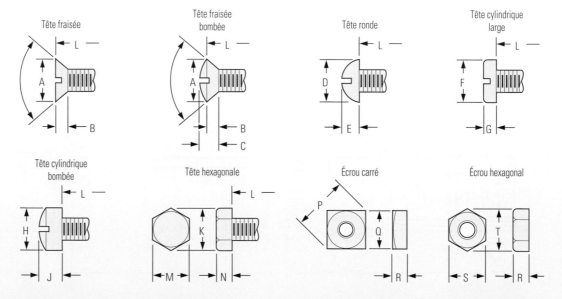

FIG. 13.30 Symboles de boulons et d'écrous utilisés en mécanique

En architecture

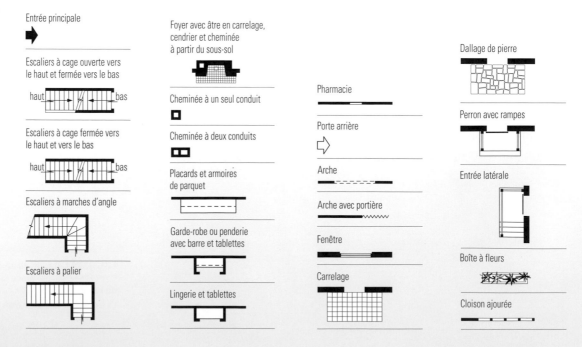

FIG. 13.31 Symboles de dessins architecturaux

En électrotechnique

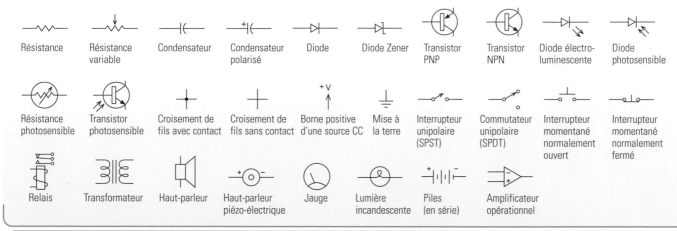

Résistance	Résistance variable	Condensateur	Condensateur polarisé	Diode	Diode Zener	Transistor PNP	Transistor NPN	Diode électro-luminescente	Diode photosensible
Résistance photosensible	Transistor photosensible	Croisement de fils avec contact	Croisement de fils sans contact	Borne positive d'une source CC	Mise à la terre	Interrupteur unipolaire (SPST)	Commutateur unipolaire (SPDT)	Interrupteur momentané normalement ouvert	Interrupteur momentané normalement fermé
Relais	Transformateur	Haut-parleur	Haut-parleur piézo-électrique	Jauge	Lumière incandescente	Piles (en série)	Amplificateur opérationnel		

FIG. 13.32 Symboles de dessins électrotechniques

C'est à l'aide de ces différents symboles que l'on peut tracer des schémas, c'est-à-dire des dessins spécialisés permettant d'illustrer la façon dont chaque composant est relié aux autres (voir les figures 13.33 et 13.34).

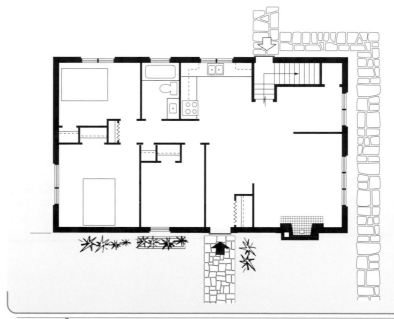

FIG. 13.33 Schéma de présentation architectural

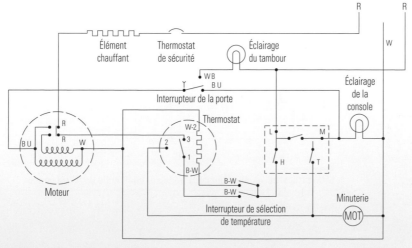

FIG. 13.34 Schéma de branchement électrique (sécheuse)

Pour réaliser des dessins techniques de pièces minces, comme les boîtes de carton ou de métal en feuille, les canalisations de chauffage, etc., il est souvent nécessaire de tracer le développement de ces pièces.

La technique du développement consiste à « déplier » l'objet (fait de matériaux minces) pour le ramener au stade d'une surface plate à deux dimensions (voir les figures 13.35 et 13.36).

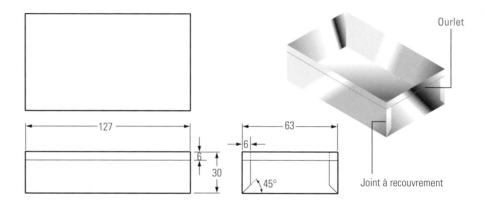

FIG. 13.35 **Boîte de métal mince dessinée en projection orthogonale (et en isométrie)**

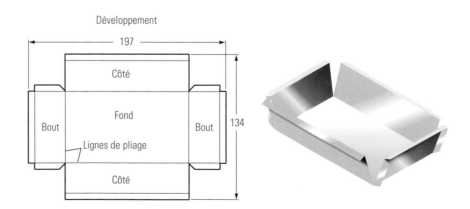

FIG. 13.36 **Développement de la boîte sur une feuille de métal mince**

Les diverses formes et leurs surfaces sont classifiées en deux catégories :

- les surfaces à double courbure ou surfaces gauches, qui ne sont pas développables, comme les sphères (voir la figure 13.37) ;

- les surfaces sans courbure ou à simple courbure, donc développables, comme les prismes, les cylindres, les pyramides et les cônes (voir la figure 13.38).

Il n'est pas possible de développer complètement (c'est-à-dire de manière parfaite) une forme comme la sphère. On peut cependant réaliser un développement partiel (approximatif), notamment en utilisant la technique des **fuseaux**, comme l'illustre la figure 13.37.

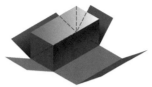
Prisme

Cylindre

Pyramide

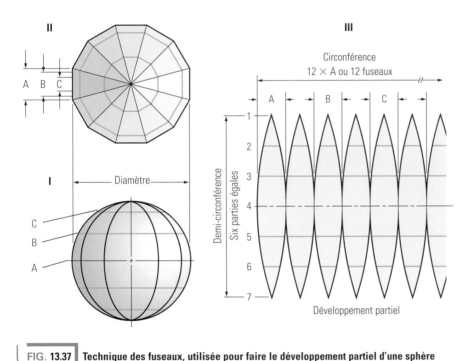

FIG. 13.37 Technique des fuseaux, utilisée pour faire le développement partiel d'une sphère

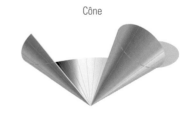
Cône

FIG. 13.38 Quatre des formes les plus utilisées dans les développements : le prisme, le cylindre, la pyramide et le cône

Comment réaliser le développement d'une sphère ?

Pour réaliser le développement d'une sphère, il faut suivre les étapes ci-dessous, qui font référence à la figure 13.37 :

1. Tracer un cercle représentant une sphère (vue de face), puis diviser la demi-circonférence de ce cercle en six sections horizontales égales (voir I) ;

2. Au-dessus de la vue de face, tracer un autre cercle (vue de dessus) que l'on subdivise, à partir du centre, en 12 **secteurs** de cercle égaux (voir II) ;

3. Sur la surface plate (feuille de carton, de tôle, etc.), tracer un rectangle dont la hauteur est égale à la moitié de la circonférence de la sphère et dont la longueur équivaut à 12 fois la longueur de la **corde** A (calculée à l'équateur de la sphère). Tracer ensuite sur cette feuille un premier fuseau, comme le montre la figure 13.37. Ce fuseau sert alors de modèle, que l'on reproduit ensuite 11 fois (voir III). ∎

Les prismes et les pyramides sont constitués de surfaces ne comportant que des arêtes rectilignes. Il suffit donc de reproduire ces arêtes et ces surfaces côte à côte pour réaliser le développement de ces formes. Les figures 13.39 et 13.40 présentent des exemples de développement d'un type de prisme, alors que les figures 13.41 et 13.42 illustrent le dépliement d'une pyramide.

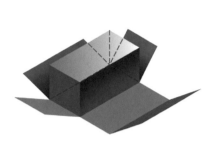

FIG. **13.39** Dépliement d'un prisme

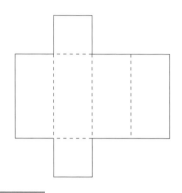

FIG. **13.40** Prisme déplié (développé)

FIG. **13.41** Dépliement d'une pyramide

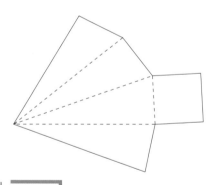

FIG. **13.42** Pyramide dépliée (développée)

Le développement d'un cylindre s'obtient en le «déroulant» (voir
les figures 13.43 et 13.44). Pour ce faire, il s'agit de déterminer les deux
côtés d'un rectangle. Le premier côté, appelons-le longueur ou L, correspond à la dimension de la circonférence du cylindre, donnée par la
formule: circonférence $= 2\pi r$. Le second côté du rectangle est tout
simplement la hauteur du cylindre, H. Si le cylindre a des bouts fermés,
il faut ajouter les cercles qui le fermeront.

On peut obtenir le développement d'un cône en ayant recours à la
méthode graphique (voir la figure 13.45).

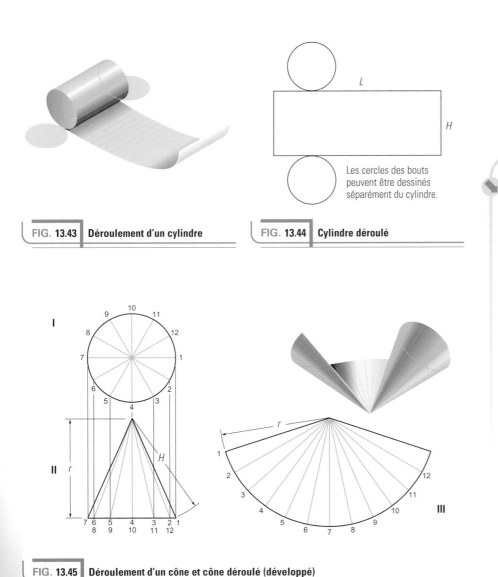

L

H

Les cercles des bouts
peuvent être dessinés
séparément du cylindre.

FIG. 13.43 | **Déroulement d'un cylindre**

FIG. 13.44 | **Cylindre déroulé**

FIG. 13.45 | **Déroulement d'un cône et cône déroulé (développé)**

Comment réaliser le développement d'un cône?

Pour réaliser le développement
d'un cône, il faut suivre les étapes
ci-dessous, qui font référence à la
figure 13.45 :

1. Tracer, en vue de dessus, un
   cercle ayant le diamètre du cône
   lorsqu'on le regarde de haut,
   puis subdiviser ce cercle en
   12 secteurs de cercle égaux
   (voir I);

2. Tracer, en vue de face, un
   triangle ayant la hauteur du cône
   lorsqu'on le regarde de face.
   La base du cône correspond
   au diamètre du cercle dessiné
   en vue de dessus (voir II);

3. Tracer un **arc de cercle** dont
   le rayon correspond au côté
   incliné du triangle (en II).
   Mesurer la longueur de la corde
   1-2 sur le cercle (en I), puis
   reporter cette distance 12 fois
   sur l'arc dessiné (en III). ∎

⑥ QUELQUES PROCÉDÉS POUR RÉALISER UN DESSIN

Il existe plusieurs façons de réaliser un dessin technique. Par exemple, on peut se servir de papier quadrillé, d'instruments ou d'un ordinateur.

Sur du papier quadrillé

Si l'on ne dispose pas d'instruments de dessin, on peut tout de même réaliser tous les types de dessins présentés dans ce chapitre en utilisant le papier quadrillé spécifiquement conçu pour chaque type de dessin (voir les figures 13.46 et 13.47).

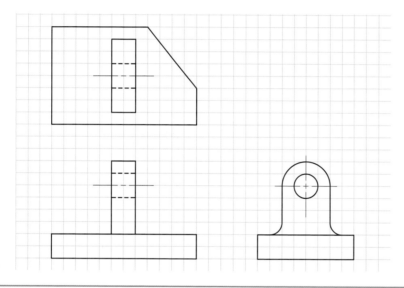

FIG. **13.46** Papier quadrillé standard (6 mm ou 1/4 de pouce) pour réaliser des projections orthogonales

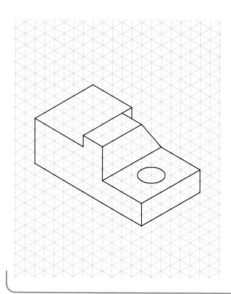

FIG. **13.47** Papier quadrillé isométrique pour réaliser des projections isométriques

À l'aide d'instruments

Les figures 13.48 à 13.52 illustrent quelques techniques de dessin où l'on se sert d'instruments.

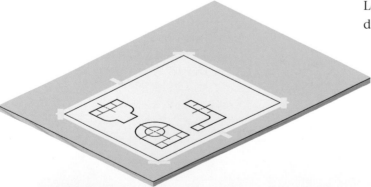

FIG. **13.48** Méthode de fixation du papier sur une table à dessin à l'aide de ruban-cache.

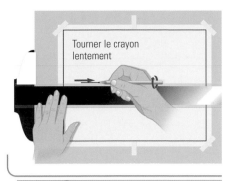

FIG. 13.49 Technique pour tracer une droite horizontale à l'aide du té à dessin

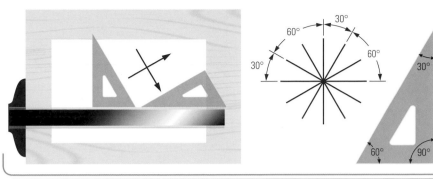

FIG. 13.50 Usage du té et d'équerres 30°- 60° pour tracer différents angles

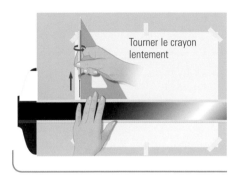

FIG. 13.51 Technique pour tracer une droite verticale à l'aide du té à dessin et de l'équerre

FIG. 13.52 Usage du té et d'équerres 45° pour tracer différents angles

Les instruments de dessin et le dessin assisté par ordinateur (DAO)

Depuis quelques années, les techniques et les instruments de dessin ont été intégrés à l'ordinateur.

Le micro-ordinateur, le disque dur, le clavier, la souris, le disque compact, la clé USB, l'imprimante et les logiciels sont devenus des outils indispensables pour le dessin assisté par ordinateur ou DAO. Ces outils informatiques remplacent les instruments traditionnels. Les projets de haute technologie profitent largement des technologies de conception et de dessin par ordinateur, comme le montre la figure 13.53.

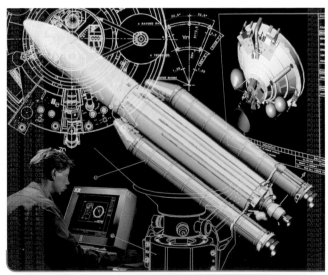

FIG. 13.53 La fusée européenne *Ariane 5,* lancée en 1996, a été créée grâce aux technologies de pointe en dessin assisté par ordinateur.

1 DE L'IDÉE À L'OBJET

 1. Nommez les types de dessins illustrés ci-dessous et précisez s'il s'agit de dessins en deux dimensions (2D) ou en trois dimensions (3D).

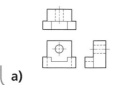 a)

 b)

 c)

 d)

2 LE DESSIN FIGURATIF EN TROIS DIMENSIONS

2. Réalisez le dessin en perspective à deux points de fuite d'une niche à chien ayant les caractéristiques suivantes :

- La niche doit être deux fois plus longue que large (rectangulaire);

- Elle doit être deux fois plus haute que large (en incluant la hauteur du pignon);

- Elle doit avoir une toiture en pente;

- Sa partie la plus étroite (largeur) doit comporter une ouverture pour permettre au chien d'entrer dans la niche;

- Le haut de l'ouverture doit être semi-circulaire.

Tracez le dessin sur une feuille blanche et laissez les principales lignes de construction autour de la niche bien visibles (ne les effacez pas).

3. Faites le dessin de la même niche à chien qu'au numéro **2** en ayant recours cette fois à la technique de dessin en perspective à un point de fuite et en respectant les consignes suivantes :

- Utilisez du papier blanc;

- Dessinez l'ouverture de la niche vue de face;

- Utilisez les mêmes proportions qu'au numéro **2**;

- Laissez les principales lignes de construction visibles (ne les effacez pas).

4. Représentez de nouveau la niche à chien, en employant cette fois la technique de la projection oblique.

- Utilisez du papier quadrillé standard (6 mm ou 1/4 po);

- Dessinez l'ouverture de la niche vue de face;

- Utilisez les mêmes proportions qu'au numéro **2**;

- Laissez les principales lignes de construction visibles (ne les effacez pas).

5. Représentez la même niche à chien en ayant recours à la technique de la projection isométrique.

- Utilisez du papier quadrillé standard (6 mm ou 1/4 po) ou du papier isométrique;

- Dessinez l'ouverture de la niche vue de face;

- Utilisez les mêmes proportions qu'au numéro **2**;

- Laissez les principales lignes de construction visibles (ne les effacez pas).

③ LE DESSIN EN PROJECTION ORTHOGONALE   STE ATS

6. Dans le dessin ci-dessous, quelles sont les trois vues utilisées comme vues principales en Amérique du Nord?

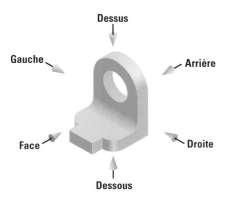

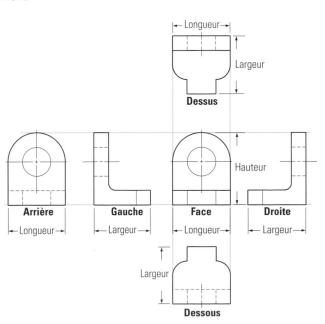

7. a) En projection orthogonale, quel doit être l'angle de la ligne de visée lorsqu'on observe l'objet à représenter ?

b) Quel est le principal intérêt à observer un objet selon cet angle pour réaliser un dessin ?

8. Nommez les traits conventionnels et éléments de cotation ci-dessous :

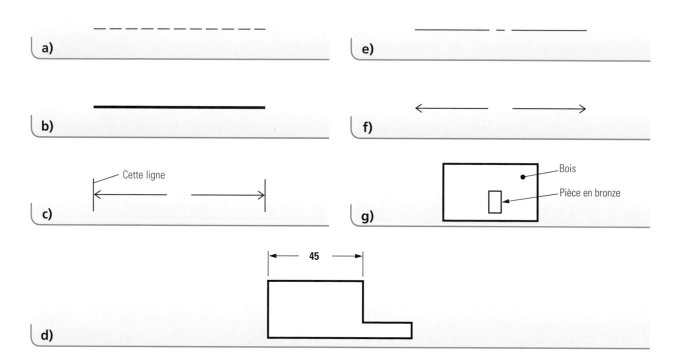

a)

b)

c) Cette ligne

d) 45

e)

f)

g) Bois — Pièce en bronze

9. Que représentent les symboles suivants ?

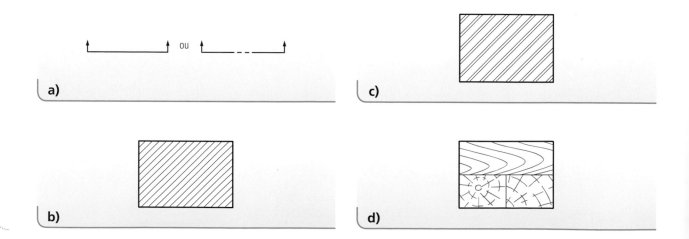

a) ou

b)

c)

d)

10. Définissez les termes suivants :

a) Cote nominale ;

b) Cote nominale et écart permis ;

c) Cotes limites ;

d) Tolérance.

11. Vous devez percer un trou de précision dans une pièce rectangulaire devant recevoir un axe de rotation. On vous fournit les spécifications suivantes concernant les deux pièces :

	AXE	TROU (dans le bloc)
• Diamètre nominal :	2,246 cm	2,251 cm
• Écart permis :	± 0,002 cm	± 0,002 cm

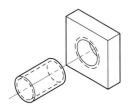

a) Quel sera l'ajustement le plus serré ?

b) Quel sera l'ajustement le moins serré ?

12. Tracez à main levée la projection orthogonale de l'objet schématisé ci-dessous. Réalisez vos dessins à partir des lignes d'emboîtement données et en prenant soin de respecter les proportions de l'objet.

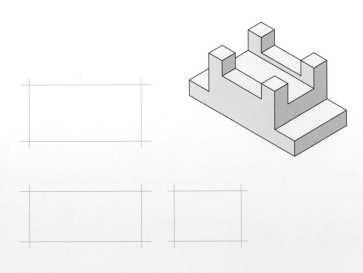

STE
ATS

13. **a)** Sur des feuilles quadrillées distinctes (une feuille par figure), tracez la projection orthogonale des figures ci-dessous, en utilisant un crayon à mine et une règle. Pour obtenir une taille satisfaisante sur les feuilles, doublez la grandeur de chaque objet, soit : 1 carreau sur les dessins ci-dessous = 2 carreaux sur votre feuille quadrillée.

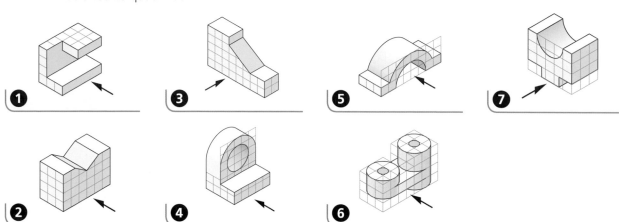

b) Sur chacune des feuilles, ajoutez toutes les cotes nécessaires à la fabrication de l'objet représenté, en respectant les règles de la cotation.

14. Dessinez en projection orthogonale la niche à chien que vous avez conçue au numéro **2,** en respectant les consignes suivantes :

- Tracez toutes les vues sur une même feuille de papier quadrillé standard (6 mm ou 1/4 po), en déterminant une échelle appropriée ;

- Tenez compte des dimensions suivantes qu'aurait la niche dans la réalité :

  Longueur : 100 cm
  Largeur : 50 cm
  Hauteur totale : 100 cm
  Hauteur des murs : 60 cm
  Hauteur du pignon : 40 cm
  Largeur de l'ouverture de l'entrée : 40 cm

- Indiquez toutes les cotes qui permettraient de construire la niche, en respectant les règles de la cotation.

4 LES STANDARDS ET LES REPRÉSENTATIONS

ATS 15. Définissez dans vos mots ce qu'est un schéma et nommez des domaines particuliers où on l'utilise.

5 LES DÉVELOPPEMENTS

ATS 16. En vous basant sur les illustrations des figures 13.35 et 13.36, réalisez le développement d'une boîte de carton. Vérifiez si la boîte obtenue correspond aux dimensions de la boîte en 3D de la figure 13.35.

6 QUELQUES PROCÉDÉS POUR RÉALISER UN DESSIN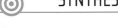

STE ATS 17. Quel procédé de dessin technique utiliseriez-vous pour dessiner :

a) le plan d'une navette spatiale pour l'Agence spatiale canadienne ?

b) un plan préliminaire en projection orthogonale ?

c) un plan à l'échelle pour un projet scolaire ?

d) un plan préliminaire en projection isométrique ?

SYNTHÈSE

STE ATS 18. En vous inspirant des dessins en perspective et en projection orthogonale présentés dans le chapitre, concevez un jouet de bois et représentez-le en respectant les consignes suivantes :

- Sur une feuille blanche, réalisez le dessin en perspective à deux points de fuite (ou un autre type de dessin en 3D) du jouet que vous avez imaginé ;

- Collez ensemble quatre feuilles quadrillées pour obtenir une grande feuille, puis dessinez en projection orthogonale, en grandeur réelle (1:1) ou à l'échelle, chacune des trois vues conventionnelles du projet ;

- Sur chacune des vues, inscrivez les principaux détails et toutes les mesures nécessaires à la construction ;

- Établissez les plans et devis de chaque pièce constituant votre jouet (dessin en projection orthogonale, avec cotation, de chaque pièce).

De façon générale, la mécanique peut être définie comme l'étude des forces et de leurs effets, dont le mouvement. C'est grâce à des machines simples comme le levier, le plan incliné, la vis et la poulie que les êtres humains ont pu édifier des bâtiments aussi grandioses que les pyramides et aussi prestigieux que les plus hauts gratte-ciel du monde.

Plus modestement, tournons-nous vers les objets de notre quotidien, comme une machine à laver, un vélo, un robot culinaire ou une automobile: tous renferment des mécanismes plus ou moins complexes.

La Pascaline est la première calculatrice mécanique. Elle a été inventée par Blaise Pascal en 1642. Constituée de roues à dents, elle permettait d'effectuer quelques opérations simples comme l'addition et la soustraction.

TABLE DES MATIÈRES

LABORATOIRES

LES MOUVEMENTS ET LES FORCES

Les mouvements

Tous les déplacements effectués par les objets ou les êtres vivants peuvent se regrouper en deux types de mouvements élémentaires :

- la rotation : mouvement d'un corps autour d'un point ;

- la translation : déplacement d'un corps en ligne droite, de façon rectiligne.

La combinaison de ces deux mouvements élémentaires donne tous les autres mouvements imaginables, dont le principal est le mouvement hélicoïdal. Dans les schémas de principe, on représente ces mouvements par les symboles illustrés à la figure 14.1.

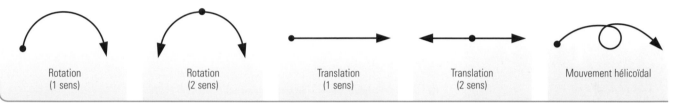

| Rotation (1 sens) | Rotation (2 sens) | Translation (1 sens) | Translation (2 sens) | Mouvement hélicoïdal |

FIG. 14.1 | **Les symboles représentant les mouvements dans un schéma de principe**

Les forces

Pour engendrer un mouvement, quel qu'il soit, les lois de la physique nous indiquent qu'il faut d'abord générer une force. Il existe quatre types de forces qui sont à la source de tous les mouvements (voir le tableau 14.1).

TABLEAU 14.1 Les symboles représentant les forces dans un schéma de principe

FORCE	SYMBOLE
La **tension** est la force qui s'applique lorsqu'on « tire » sur un objet.	Force de tension
La **compression** est la force qui s'applique lorsqu'on « pousse » sur un objet.	Force de compression
La **torsion** est la force appliquée en un mouvement de rotation pour « tordre » un objet.	Force de torsion
Le **cisaillement** est le résultat de deux forces de compression appliquées l'une à côté de l'autre, sur une très petite surface, pour couper les matériaux.	Force de compression vers la droite / Force de cisaillement : elle cherche à couper le matériau / Force de compression vers la gauche

Un exemple de torsion : le cou du hibou

UNIVERS TECHNOLOGIQUE   **L'INGÉNIERIE MÉCANIQUE**   679

② LES MÉCANISMES DE TRANSMISSION DE MOUVEMENT

2.1 Les rôles des organes d'une machine

Selon les circonstances, les organes de la plupart des machines seront appelés à jouer trois rôles différents, résumés ci-dessous (figure 14.2).

❶ **Organe moteur (souvent nommé organe d'entrée ou organe menant)**
Capte l'énergie et la transforme en forces et en mouvements.
Exemple: le pédalier d'un vélo.

❷ **Organe intermédiaire**
Transmet ou transforme directement ou indirectement le mouvement du moteur vers le récepteur.
Exemple: la chaîne d'un vélo.

❸ **Organe récepteur (organe de sortie ou mené)**
Agit sur l'environnement en utilisant le mouvement transféré par l'organe intermédiaire pour faire un travail utile.
Exemple: la roue arrière d'un vélo.

FIG. 14.2 **Exemples de rôles joués par les organes**

2.2 Les rôles des mécanismes de transmission de mouvement

Les mécanismes de transmission de mouvement ont pour rôle de transférer le mouvement créé par les organes moteurs vers les organes récepteurs, qui agissent sur l'environnement et font un travail utile. Ces systèmes transmettent le mouvement sans le modifier. En effet, les mécanismes de transmission produisent chez l'organe récepteur un mouvement de même nature que celui de l'organe moteur. Ainsi, une translation au moteur restera une translation au récepteur et une rotation au moteur restera une rotation au récepteur.

On dénombre six types de mécanismes de transmission de mouvement, soit le mécanisme de roues de friction, le mécanisme de poulies et courroie, le mécanisme d'engrenage, le mécanisme de roues dentées et chaîne, le mécanisme de roue dentée et vis sans fin, et le mécanisme de transmission de mouvement par fluide.

Le mécanisme de roues de friction

Les roues de friction peuvent être disposées selon deux axes de rotation : l'axe parallèle (voir les figures 14.3 et 14.4), dont un exemple d'application est donné à la figure 14.5, et l'axe perpendiculaire (voir les figures 14.6 et 14.7), dont un exemple d'application est donné à la figure 14.8.

Les caractéristiques de ce mécanisme sont :

- sens de rotation des deux roues inversé ;

- tendance au glissement entre les roues ;

- applications nécessitant peu de puissance ;

- transmission du mouvement à faible distance ;

- facilité de fabrication ;

- mécanisme peu coûteux et silencieux.

FIG. 14.3 | **Roues de friction à axe parallèle**

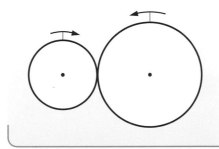

FIG. 14.4 | **Symbole des roues de friction à axe parallèle**

FIG. 14.5 | **Lance-balles de baseball**

FIG. 14.6 | **Roues de friction à axe perpendiculaire**

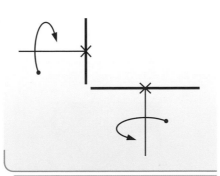

FIG. 14.7 | **Symbole des roues de friction à axe perpendiculaire**

FIG. 14.8 | **Dynamo pour projecteur de vélo**

Les roues de friction peuvent être faites de bois (ou de dérivés de bois), de plastique ou de métal, selon l'outillage disponible. Les surfaces de contact sont souvent recouvertes de caoutchouc ou d'un matériau **antidérapant** (voir la figure 14.9).

Les axes de rotation sont généralement en plastique ou en acier et doivent être très rigides pour assurer une position précise des roues. Les boulons et les tiges filetées font de très bons axes. Afin de s'assurer qu'une friction constante est maintenue entre les roues, on installe souvent un ressort de pression sur l'une des roues.

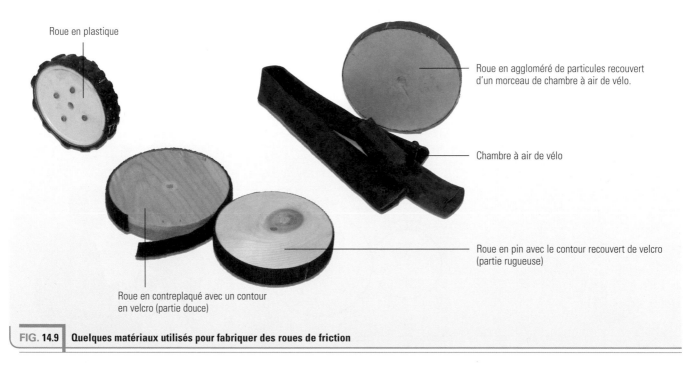

Roue en plastique

Roue en aggloméré de particules recouvert d'un morceau de chambre à air de vélo.

Chambre à air de vélo

Roue en pin avec le contour recouvert de velcro (partie rugueuse)

Roue en contreplaqué avec un contour en velcro (partie douce)

FIG. 14.9 | **Quelques matériaux utilisés pour fabriquer des roues de friction**

Comment fabriquer des roues de friction?

Avec une perceuse à colonne et un coupe-cercle (voir la figure 14.10), vous pouvez réaliser tous les formats de roues dans presque tous les matériaux à base de bois, de plastique, et même dans les métaux non ferreux comme l'aluminium. La scie-cloche (voir la figure 14.11) peut également être utilisée. Pour des raisons de sécurité, il ne faut jamais se servir d'une perceuse portative pour effectuer ce type de travail. ∎

FIG. 14.10 | **Confection d'une roue à l'aide d'une perceuse à colonne et d'un coupe-cercle**

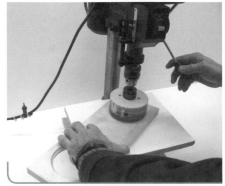

FIG. 14.11 | **Confection d'une roue à l'aide d'une scie-cloche**

Le mécanisme de poulies et courroie

Le mécanisme de poulies et courroie (voir les figures 14.12 et 14.13) est utilisé, par exemple, pour actionner les **alternateurs** de voitures ainsi que plusieurs appareils électroménagers et outils électriques, dont la perceuse à colonne, illustrée à la figure 14.14.

FIG. **14.12** Deux poulies reliées par une courroie

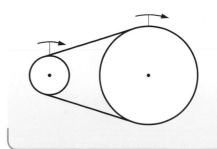

FIG. **14.13** Symbole du mécanisme de poulies et courroie

Les caractéristiques de ce mécanisme sont :

- sens de rotation des deux poulies identique ;

- tendance au glissement entre les poulies et la courroie ;

- applications nécessitant généralement une puissance réduite ;

- distance de transmission selon la longueur de la courroie.

Les poulies sont habituellement en plastique ou en métal. Pour réaliser des projets artisanaux, il est également possible d'en fabriquer en bois. Les courroies sont en général faites de caoutchouc souple mais non extensible. Cependant, pour des projets artisanaux, toutes sortes de matériaux peuvent être utilisés, dont les bandes élastiques, les élastiques pour vêtements, les rubans de **velcro** et même des sections de bandes de ruban à poncer. Les axes de rotation sont le plus souvent en métal (acier).

FIG. **14.14** Perceuse à colonne

Comment fabriquer une poulie ?

Pour fabriquer une poulie artisanale, il vous suffit de réaliser trois roues de diamètres variés : deux roues minces et une roue plus épaisse et de diamètre inférieur. Utilisez la perceuse à colonne et le coupe-cercle pour réaliser la roue la plus épaisse en premier. Réajustez le coupe-cercle pour faire deux roues plus minces, d'un diamètre d'environ 10 mm de plus que celui de la roue épaisse. Percez le centre de chaque roue, le trou devant être de la taille du boulon. Appliquez de la colle sur une des roues minces et collez-y la roue la plus épaisse. Passez un boulon dans le trou prévu pour l'axe. Insérez la seconde roue mince sur le boulon après y avoir appliqué de la colle. Serrez l'écrou pendant le séchage. Ces indications sont résumées à la figure 14.15. ∎

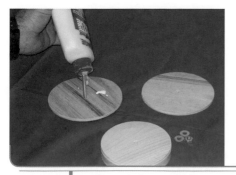

FIG. **14.15** Les étapes de fabrication d'une poulie

FIG. 14.16 | Engrenage à axe parallèle

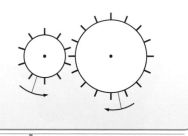

FIG. 14.17 | Symbole d'un engrenage à axe parallèle

Le mécanisme d'engrenage

Les **engrenages** sont formés de roues dentées ou de pignons coniques. Ils peuvent être disposés selon deux axes de rotation : l'axe parallèle (voir les figures 14.16 et 14.17), dont des exemples d'application sont donnés aux figures 14.18 et 14.19, et l'axe perpendiculaire (voir les figures 14.20 et 14.21), dont un exemple d'application est donné à la figure 14.22.

Les caractéristiques de ce mécanisme sont :

- sens de rotation des deux roues inversé ;

- aucun glissement possible ;

- applications requérant généralement une haute puissance ou une grande précision ;

- transmission de mouvement à faible distance ;

- mécanisme parfois bruyant.

Jadis réalisées en bois, les roues dentées modernes sont faites de plastique moulé ou de métal coulé puis **usiné**. Les axes de rotation sur lesquels sont installées les roues dentées sont parfois en plastique rigide, mais le plus souvent en métal, habituellement de l'acier (voir la figure 14.23).

FIG. 14.18 | Éplucheur à pomme, utilisant des roues dentées et des pignons coniques

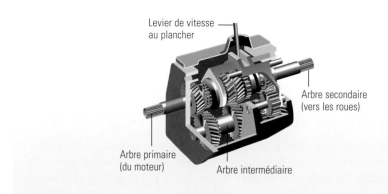

Levier de vitesse au plancher

Arbre secondaire (vers les roues)

Arbre primaire (du moteur)

Arbre intermédiaire

FIG. 14.19 | Transmission d'automobile

FIG. 14.20 | Engrenage à pignons coniques à axes perpendiculaires

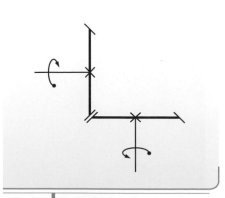

FIG. 14.21 | Symbole d'un engrenage à axes perpendiculaires

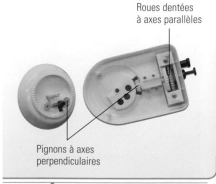

Roues dentées à axes parallèles

Pignons à axes perpendiculaires

FIG. 14.22 | Éplucheur à pomme, utilisant des pignons à axes perpendiculaires

FIG. 14.23 | Quelques modèles d'engrenages faits de plastique ou d'acier que l'on trouve facilement dans le commerce ou que l'on peut recycler à partir de jeux de construction ou de jouets.

Comment fabriquer des engrenages ?

Après avoir tracé avec minutie la forme de la roue dentée, vous pouvez la découper avec une précision acceptable à l'aide de la scie à ruban (voir la figure 14.24). Utilisez la ponceuse à courroie étroite pour poncer chaque dent et faire les derniers ajustements, comme le montre la figure 14.25. ∎

FIG. 14.24 | La découpe d'une roue dentée

FIG. 14.25 | Le ponçage d'une roue dentée

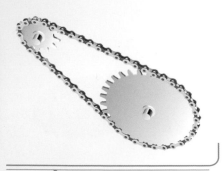

FIG. 14.26 | Roues dentées et chaîne

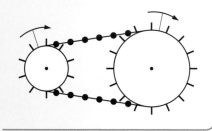

FIG. 14.27 | Symbole de roues dentées et chaîne

FIG. 14.28 | Roues dentées et chaîne en acier

FIG. 14.29 | Roues dentées en plastique et courroie dentée en caoutchouc

Le mécanisme de roues dentées et chaîne

Le mécanisme de roues dentées et chaîne (voir les figures 14.26 et 14.27) est utilisé, par exemple, dans les outils, la machinerie agricole, les moteurs de voitures et les vélos.

Les caractéristiques de ce mécanisme sont:

- sens de rotation des deux roues dentées identique;
- aucun glissement possible;
- applications nécessitant beaucoup de puissance;
- transmission selon la longueur de la chaîne.

Les **roues dentées** sont généralement faites de métal, principalement l'acier (voir la figure 14.28). Pour des applications demandant peu de force, on utilise aussi le plastique (voir la figure 14.29). Les **chaînes** sont presque toujours fabriquées en acier. Cependant, pour les roues dentées en plastique, on remplace habituellement la chaîne d'acier par une courroie dentée en caoutchouc.

Comment fabriquer un mécanisme de roues dentées et chaîne?

La fabrication d'un tel mécanisme demande beaucoup de temps et de travail. Par contre, pour réaliser bon nombre de projets artisanaux, il est relativement facile de recycler les roues dentées et les chaînes de vélos. ∎

LABORATOIRE

14.1: Évaluation de la force utilisée

But: mesurer la force requise pour faire tourner la roue motrice d'un vélo en utilisant les divers pignons du mécanisme de transmission par roues dentées et chaîne. ∎

Le mécanisme de roue dentée et vis sans fin

Le mécanisme de roue dentée et vis sans fin (voir les figures 14.30 et 14.31) est utilisé, par exemple, dans les essuie-glaces des voitures et dans les souffleuses à neige (voir la figure 14.32).

Les caractéristiques de ce mécanisme sont:

- mécanisme permettant d'effectuer un changement d'axe de rotation avec précision et force;

- aucun glissement possible;

- mécanisme permettant une forte réduction de vitesse et une grande augmentation de force.

La roue dentée plate, tout comme le pignon ayant la forme d'une vis, est généralement faite d'acier. On utilise aussi du plastique pour les usages nécessitant peu de force. Ce système occasionnant beaucoup de frottement, il faut graisser généreusement chacun des engrenages. Pour obtenir une **lubrification** plus régulière, on peut aussi faire baigner les engrenages dans un contenant rempli d'huile (un **carter**).

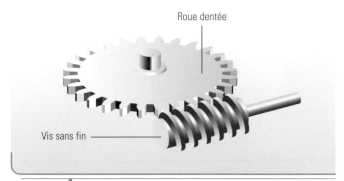

Roue dentée

Vis sans fin

FIG. 14.30 | **Mécanisme de roue dentée et vis sans fin**

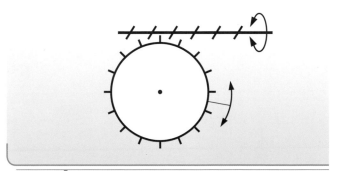

FIG. 14.31 | **Symbole du mécanisme de roue dentée et vis sans fin**

Roue dentée

Vis sans fin

FIG. 14.32 | Sur une souffleuse, le dispositif qui oriente la projection de la neige utilise ce mécanisme.

Le mécanisme de transmission de mouvement par fluide

Deux types de **fluides** peuvent effectuer une transmission de mouvement :

- Les gaz, généralement l'air, utilisés dans les appareils **pneumatiques** ;
- Les liquides, généralement de l'huile, utilisés dans les appareils **hydrauliques**.

Les systèmes pneumatique et hydraulique fonctionnent selon le même principe. On pousse sur un fluide (gaz ou liquide) situé dans un petit **cylindre** par l'intermédiaire d'un **piston** installé dans le cylindre. Le fluide est alors transféré vers un plus gros cylindre par des tubes souvent flexibles. Le fluide dans le gros cylindre pousse sur un piston plus gros, inséré dans le gros cylindre. Comme la force développée est proportionnelle à la surface sur laquelle la pression du fluide est appliquée, si on augmente la surface d'un piston, on augmente la force développée par ce dernier, et ce, pour une pression constante du fluide. Les figures 14.33 et 14.34 illustrent le fonctionnement de ce mécanisme, alors que les figures 14.35 à 14.38 représentent des exemples d'application.

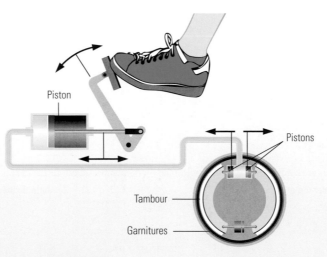

FIG. **14.33** | Mécanisme de transmission de mouvement par fluide

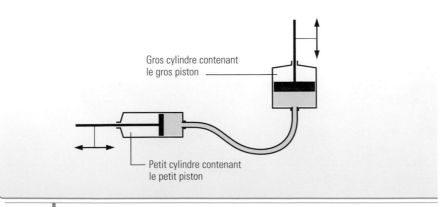

FIG. **14.34** | Symbole d'un mécanisme de transmission de mouvement par fluide

FIG. **14.35** | Freins à disque d'une voiture

Les caractéristiques de ce mécanisme sont :

- transmission d'un mouvement de translation directement en une autre translation ;

- puissance pouvant être multipliée en variant le diamètre des cylindres ;

- mécanisme à la base des outils et machines de puissance modernes.

Les cylindres et les pistons sont généralement faits d'acier, alors que les tubes flexibles de transfert des fluides sont le plus souvent en caoutchouc renforcé.

FIG. 14.36 | **Marteau pneumatique**

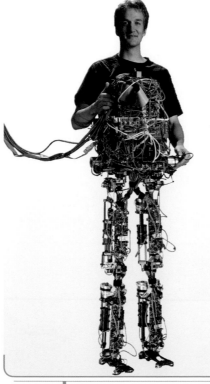

FIG. 14.37 | **Ce prototype de jambes artificielles est actionné par des cylindres pneumatiques.**

Gros piston soulevant la charge

Gros cylindre contenant le gros piston

Levier

Petit cylindre contenant le petit piston

Petit piston actionné par le levier

FIG. 14.38 | **Le petit et le gros cylindre d'un cric de voiture**

Comment fabriquer un mécanisme de transmission de mouvement par fluide ?

Une façon simple de fabriquer un mécanisme utilisant les fluides est de raccorder un tube flexible à deux seringues de différentes dimensions (voir la figure 14.39). Vous pouvez actionner les pistons avec de l'air (système pneumatique) ou encore remplir tout le mécanisme d'un liquide (système hydraulique). Les liquides étant **incompressibles**, la puissance fournie par ce dernier système est supérieure. ∎

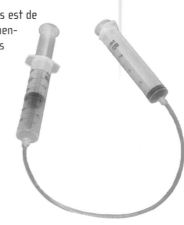

FIG. 14.39 | Deux seringues reliées par un tube flexible constituent un mécanisme artisanal de transmission par fluide.

③ LES MÉCANISMES DE TRANSFORMATION DE MOUVEMENT

Tout comme les mécanismes décrits précédemment, les mécanismes de transformation de mouvement servent à faire passer le mouvement du moteur vers le récepteur. Toutefois, ils ont une fonction supplémentaire : celle de transformer la rotation en translation, ou l'inverse, au cours du processus de transfert. Il existe quatre mécanismes de ce type : le mécanisme vis et écrou, le mécanisme pignon et crémaillère, le mécanisme bielle et manivelle, et le mécanisme came et galet.

Le mécanisme vis et écrou

Le mécanisme vis et **écrou** (voir la figure 14.40) est utilisé, par exemple, dans les **ridoirs** et les étaux, illustrés aux figures 14.41 et 14.42.

Le fonctionnement de ce système est fort simple : il s'agit d'empêcher l'écrou de tourner dans la vis lorsqu'on imprime un mouvement de rotation à la vis. L'inclinaison des filets de la vis et de l'écrou force alors ce dernier à se déplacer latéralement. La figure 14.43 montre ce fonctionnement.

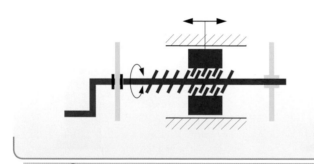

FIG. 14.40 | Un des symboles du mécanisme vis et écrou

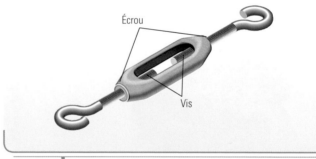

FIG. 14.41 | Ridoir pour tendre des câbles

FIG. 14.42 | Étau, un outil de serrage (on tourne la vis à l'aide d'un levier et les mâchoires de l'outil se déplacent pour serrer).

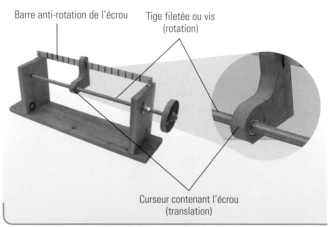

FIG. 14.43 | Appareil démontrant le fonctionnement d'un mécanisme de vis et écrou.
Remarquez qu'un écrou standard est bloqué dans le curseur, ce qui l'empêche de tourner.

Les caractéristiques de ce mécanisme sont:

- transformation du mouvement de rotation de la vis en mouvement de translation de l'écrou grâce au filetage hélicoïdal de la vis et de l'écrou ainsi qu'à un guidage adéquat;

- multiplication de la force appliquée;

- ajustements de précision (*exemple:* mécanisme d'ouverture d'un compas);

- mécanisme qui provoque beaucoup de friction: importante lubrification requise;

- mécanisme non réversible dans la plupart des cas.

Les mécanismes de vis et écrou sont la plupart du temps constitués de métal, généralement d'acier, et en de rares exceptions sont faits de plastique.

Le mécanisme pignon et crémaillère

Le mécanisme pignon et crémaillère (voir les figures 14.44 et 14.45) est utilisé, par exemple, dans les directions de véhicules et les trépieds pour appareils photo, illustrés aux figures 14.46 et 14.47.

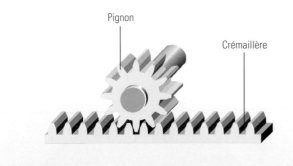

FIG. **14.44** | Pignon et crémaillère

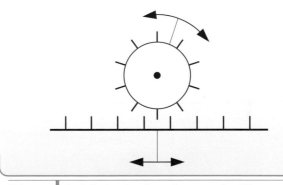

FIG. **14.45** | Symbole du mécanisme pignon et crémaillère

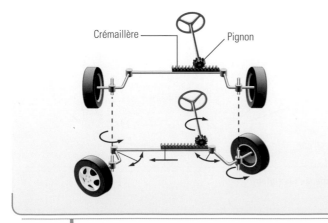

FIG. **14.46** | Direction d'un véhicule

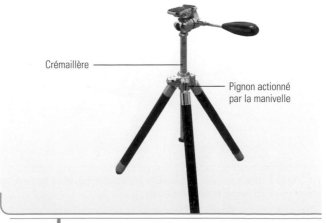

FIG. **14.47** | Trépied d'appareil photo (le mécanisme pignon et crémaillère sert à faire monter et descendre l'appareil photo).

Les caractéristiques de ce mécanisme sont:

- transformation de la rotation du pignon en translation à la crémaillère;

- mécanisme réversible: permet de transformer la translation en rotation;

- suppression de toute possibilité de glissement;

- lubrification nécessaire.

Tout comme dans le cas des roues dentées, les composantes de ce type de système sont généralement fabriquées en métal (acier), ou en plastique pour les usages plus légers.

Comment fabriquer un mécanisme pignon et crémaillère?

Pour fabriquer un tel mécanisme, on a recours aux mêmes techniques que pour la réalisation de roues dentées. Ces techniques exigeant beaucoup de temps et de travail, il est cependant préférable de se servir de pièces provenant du commerce ou du recyclage. La précision des systèmes usinés en industrie est largement supérieure. Si l'on veut s'aventurer à fabriquer ce genre de mécanisme, on peut utiliser du bois, des **contreplaqués**, des agglomérés de particules, du plastique (polyéthylène, plexiglas, Lexan), etc. Il faut alors prévoir du temps et, surtout, faire preuve de beaucoup de minutie et de patience. Un exemple de projet artisanal est montré à la figure 14.48. ∎

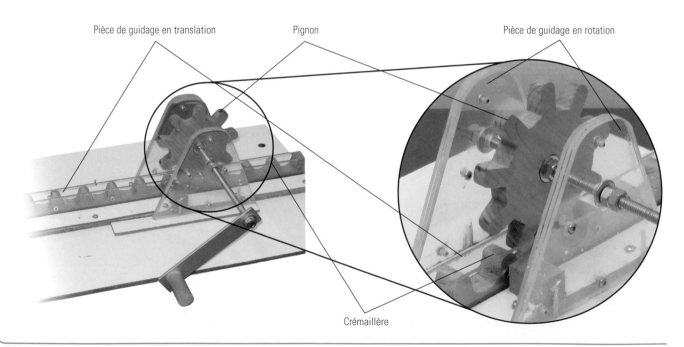

Pièce de guidage en translation   Pignon   Pièce de guidage en rotation

Crémaillère

FIG. **14.48** | **Un mécanisme artisanal de pignon et crémaillère fabriqué avec du bois, du plexiglas, de l'acier et de l'aluminium**

Le mécanisme bielle et manivelle

Le mécanisme **bielle** et **manivelle** (voir les figures 14.49 et 14.50) est utilisé, par exemple, dans les moteurs à vapeur et à essence, illustrés à la figure 14.51.

Le moteur à vapeur (à combustion externe) et le moteur à essence (à combustion interne) sont deux excellents exemples de systèmes mécaniques utilisant le mécanisme bielle et manivelle. Dans le moteur à vapeur, on injecte dans le cylindre de la vapeur sous pression provenant d'une bouilloire externe (combustion externe) chauffée grâce à un carburant quelconque : charbon, bois, pétrole, etc. Le moteur à essence a recours au même principe, mais au lieu d'injecter de la vapeur dans le cylindre, on introduit un mélange air-essence dont la combustion se fait dans le cylindre (combustion interne), créant ainsi des gaz sous pression qui actionnent le piston. Le fonctionnement du moteur à vapeur est illustré aux figures 14.52 et 14.53.

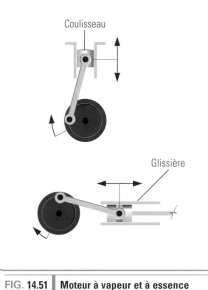

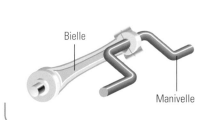

FIG. 14.49 Grâce à sa forme, la manivelle (ou vilebrequin) transforme son mouvement de rotation en translation de l'axe à la bielle.

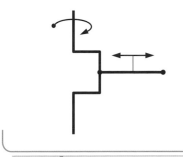

FIG. 14.50 Symbole d'un mécanisme bielle et manivelle

FIG. 14.51 Moteur à vapeur et à essence

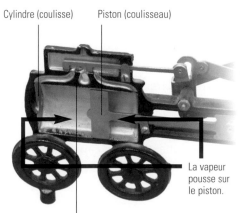

La vapeur pousse sur le piston.

Système de **soupapes** contrôlant l'entrée de la vapeur afin qu'elle pousse d'un côté ou de l'autre du piston.

FIG. 14.52 Vue en coupe du cylindre et du piston d'un moteur à vapeur

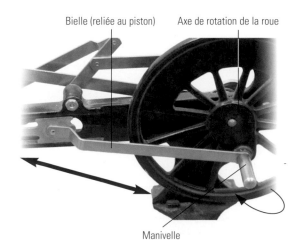

FIG. 14.53 Vue rapprochée du mécanisme de bielle et manivelle assemblé sur la roue motrice

Les moteurs à combustion interne

Le moteur à combustion interne (à essence) fonctionne selon deux principes distincts : à quatre cycles ou à deux cycles. Trouvez une illustration pour chaque type de moteur, puis expliquez ce qui se passe dans le moteur au cours de chacun de ces cycles. ∎

Les caractéristiques de ce mécanisme sont :

• transformation de la translation en rotation à haute vitesse ;

• mécanisme réversible : permet de transformer la rotation en translation ;

• transformations de mouvements rapides ;

• mécanisme comportant beaucoup de pièces avec articulations ;

• lubrification selon la demande de puissance et l'intensité d'utilisation.

Comment fabriquer un mécanisme bielle et manivelle ?

Il est relativement simple de fabriquer ce genre de dispositif sur une base artisanale, en utilisant divers matériaux facilement accessibles, comme dans le cas de l'éolienne illustrée aux figures 14.54 et 14.55. La conception d'une telle machine permet de visualiser les systèmes mécaniques complexes, les systèmes mécaniques élémentaires, l'énergie, les forces et les mouvements. Elle permet également de mettre en œuvre les diverses techniques de conception et de fabrication d'un objet. ∎

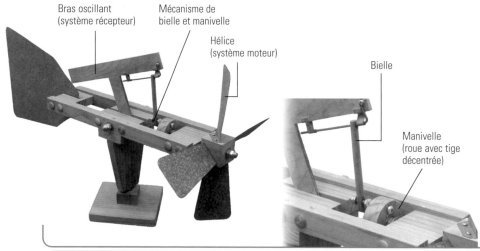

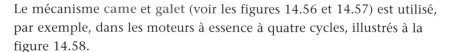

FIG. 14.54 Éolienne artisanale fabriquée par des élèves.
Le mécanisme fait osciller un bras.

FIG. 14.55 Vue rapprochée du mécanisme bielle et manivelle, fait à partir d'une roue et d'une tige de bois

Le mécanisme came et galet

Le mécanisme **came** et **galet** (voir les figures 14.56 et 14.57) est utilisé, par exemple, dans les moteurs à essence à quatre cycles, illustrés à la figure 14.58.

Aujourd'hui, dans la plupart des applications, la came glisse directement sur le poussoir. L'usage de matériaux plus robustes permet d'éliminer le galet et de réduire le nombre de pièces mobiles.

Les caractéristiques de ce mécanisme sont :

- transformation de la rotation en translation ;

- mécanisme non réversible ;

- transformations de mouvement ultrarapides,
  mais sur de courtes distances.

Il est relativement facile et rapide de fabriquer ce type de mécanisme de transformation de mouvement avec des matériaux que l'on trouve couramment dans le commerce ou provenant du recyclage.

La notion d'excentrique

STE ATS

Le terme *excentrique* fait référence à un dispositif dont l'axe de rotation est décalé par rapport au centre. Dans les figures 14.56 à 14.58, toutes les cames sont excentriques. Si, au contraire, elles étaient rondes, aucun mouvement de montée ou de descente ne serait possible.

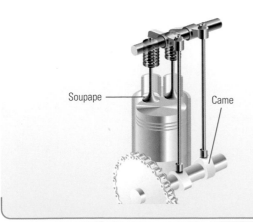
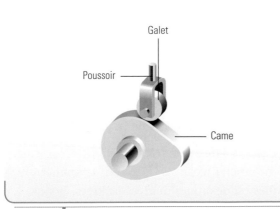

FIG. **14.56** La came est une sorte de roue déformée ne tournant pas en son centre (un peu comme un œuf).
Sa rotation permet de faire monter ou descendre le galet et le poussoir.

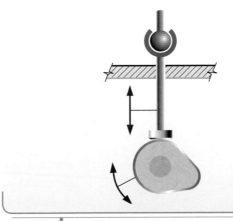

FIG. **14.57** Symbole d'un mécanisme came, galet et poussoir

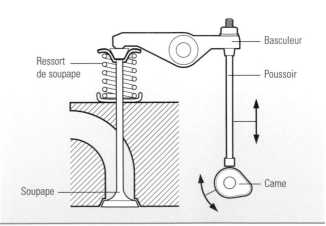

FIG. **14.58** Dans le moteur à quatre cycles, on utilise le mécanisme came, galet et poussoir pour l'alimenter en air et essence et évacuer les gaz brûlés.

Souvent, les organes moteurs ont une vitesse fixe. Par exemple, une grande partie des moteurs électriques utilisés pour les appareils domestiques ont une vitesse de rotation de 1750 tours/minute ou de 3600 tours/minute. Les tâches qu'accomplissent les organes récepteurs peuvent, elles, exiger des vitesses différentes. Il faut donc réduire ou augmenter la vitesse entre le moteur et le récepteur. C'est par le biais des mécanismes et des organes intermédiaires qu'il est possible d'obtenir ce changement de vitesse.

4.1 L'organe « menant » et l'organe « mené »

Dans un mécanisme (par exemple le mécanisme de roues dentées et chaîne), il y a :

- l'organe menant relié à l'organe moteur (voir la figure 14.59) ;

- l'organe mené relié à l'organe récepteur (voir la figure 14.60).

Sur un vélo, l'**organe menant** est constitué des plateaux reliés au **pédalier**. Le pédalier est l'organe moteur. L'**organe mené** regroupe tous les pignons attachés à la roue arrière. L'ensemble de cette roue est l'organe récepteur. La chaîne transmet le mouvement de l'organe menant à l'organe mené.

La variation de la vitesse de rotation d'un mécanisme de transmission

On peut généralement faire varier la vitesse de rotation d'un mécanisme de transmission de mouvement en changeant simplement le diamètre des roues de friction, des poulies ou des roues dentées utilisées. Il faut cependant toujours se rappeler le principe suivant :

> Si on augmente la vitesse de l'organe mené par rapport à celle de l'organe menant, on diminue le couple (force × rayon) disponible à la sortie de ce mécanisme.
>
> Si on diminue la vitesse de l'organe mené par rapport à celle de l'organe menant, on augmente le couple (force × rayon) disponible à la sortie de ce mécanisme.

FIG. **14.59** L'organe menant comprend les roues dentées (les plateaux) reliées au pédalier (le moteur) du vélo.

FIG. **14.60** L'organe mené est constitué des roues dentées (les pignons) attachées à la roue arrière (le récepteur) du vélo.

4.2 La variation de vitesse de l'organe mené

ST ATS   ** DÉFI

La multiplication de la vitesse

Pour augmenter la vitesse de l'organe mené, il suffit d'utiliser une roue ou une poulie menée plus petite que la roue ou la poulie de l'organe menant. Par exemple, pour doubler la vitesse de la roue menée, la roue menante doit avoir un diamètre deux fois plus grand que celui de la roue menée, comme le montre les figures 14.61 et 14.62.

Pour augmenter la vitesse du mécanisme, on peut aussi utiliser une roue dentée menante ayant plus de dents que la roue dentée menée. Par exemple, pour doubler la vitesse, on utilisera une roue menante ayant deux fois plus de dents que la roue menée, comme le montrent les figures 14.63 et 14.64. La petite roue se nomme pignon et la grande plateau.

La variation de vitesse d'un mécanisme de transmission

Calculez la vitesse de rotation de la roue propulsive d'un vélo si :

- le plateau menant du pédalier tourne à 150 tours/minute ;
- le plateau du pédalier compte 60 dents ;
- le pignon mené a 20 dents.

Quelle distance ce vélo parcourra-t-il en une minute si le diamètre de la roue propulsive est de 50 cm ? ∎

La réduction de la vitesse

Pour réduire la vitesse de l'organe mené, il faut utiliser une roue ou une poulie menée plus grande que celle de l'organe menant. Par exemple, pour réduire la vitesse de l'organe mené de moitié, on utilisera une roue ou une poulie menante deux fois plus petite que celle qui est menée, comme le montrent les figures 14.65 et 14.66, à la page suivante.

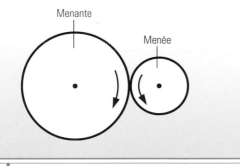

FIG. **14.61** Si le diamètre de la roue menante est deux fois plus grand que celui de la roue menée, pendant que la roue menante effectuera un tour, la roue menée en effectuera deux.

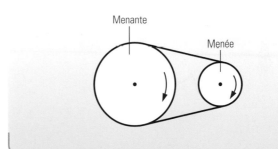

FIG. **14.62** Le même principe s'applique pour le mécanisme de poulies et courroie.

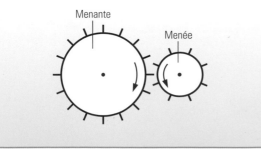

FIG. **14.63** Si le nombre de dents de la roue dentée menante est le double de celui de la roue menée, celle-ci tournera deux fois plus vite que la roue menante.

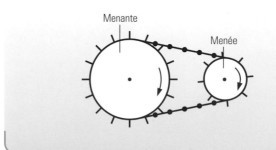

FIG. **14.64** Le même principe s'applique pour le mécanisme de roues dentées et chaîne.

Pour réduire la vitesse, on peut aussi se servir d'une roue dentée menante ayant moins de dents que la roue menée. Par exemple, pour diminuer la vitesse de l'organe mené de moitié, on utilisera une roue dentée menante ayant deux fois moins de dents que la roue menée, comme le montrent les figures 14.67 et 14.68.

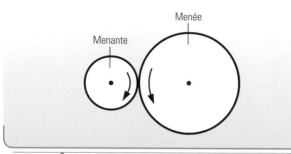

FIG. 14.65 Si le diamètre de la roue menante est deux fois plus petit que celui de la roue menée, la vitesse sera divisée par deux.

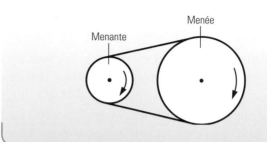

FIG. 14.66 Le même principe s'applique pour le mécanisme de poulies et courroie.

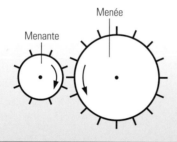

FIG. 14.67 Si le nombre de dents de la roue dentée menante est deux fois moins élevé que celui de la roue menée, celle-ci tournera deux fois moins vite.

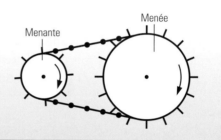

FIG. 14.68 Le même principe s'applique pour le mécanisme de roues dentées et chaîne.

4.3 Le couple, le couple moteur et le couple résistant

En mécanique, notamment lorsqu'on travaille avec des moteurs et des appareils mécaniques entraînés par des moteurs, on parle fréquemment de **couple**. Le couple, c'est la valeur de la force appliquée sur un objet pouvant tourner multipliée par la distance entre le centre de rotation et l'endroit où la force s'applique (le rayon ou bras de levier).

Le couple se calcule à l'aide de l'équation suivante :

$$N = F \times r$$

Où :

N est le couple, en newtons-mètres (N·m) ;

F est la force, en newtons (N) ;

r est le rayon, en mètres (m).

Des exemples de couples sont illustrés aux figures 14.69 et 14.70.

Le **couple moteur** est la valeur du couple que peut produire l'axe de rotation d'un moteur donné. On calcule cette valeur en tenant compte de la force de torsion développée par le moteur et multipliée par la valeur du rayon (diamètre/2) de l'axe. Le **couple résistant** est le couple qu'un moteur doit appliquer à l'axe de rotation d'une machine, d'un appareil ou d'un véhicule pour que ceux-ci fonctionnent normalement (fonctionnement qui inclut toutes les forces de frottement à l'intérieur de la machine). Autrement dit, c'est le couple qui doit être appliqué à l'axe d'un système pour vaincre l'ensemble des forces de friction et mettre cet axe en mouvement.

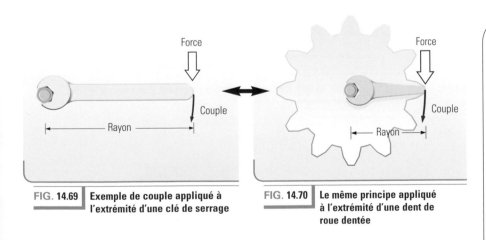

FIG. 14.69 Exemple de couple appliqué à l'extrémité d'une clé de serrage

FIG. 14.70 Le même principe appliqué à l'extrémité d'une dent de roue dentée

★ DÉFI

La pédale du vélo

En vous basant sur l'information donnée ci-dessous, déterminez le couple appliqué par la pédale du vélo. Quel est le couple obtenu à la roue dentée moyenne ? ■

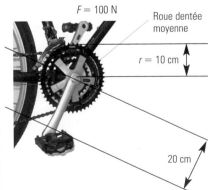

Un appareil, un outil, une machine ou un véhicule mécanique est fabriqué à partir de plusieurs composantes simples regroupées pour former un tout plus complexe. Chacune de ces pièces remplit un rôle relativement simple mais très précis, c'est-à-dire une fonction élémentaire. Il existe quatre fonctions mécaniques élémentaires.

La fonction liaison (incluant la fonction support)

Toute composante qui sert à assembler deux ou plusieurs autres pièces assure une fonction de liaison. Les principaux éléments liants sont les clous, les rivets, les vis, les boulons et les écrous (voir la figure 14.71), les colles, les adhésifs et les divers types de soudure. Certaines liaisons peuvent cependant exister sans agents liants. On les appelle alors des liaisons directes.

Certains assemblages de pièces peuvent servir de base d'appui aux autres pièces d'un véhicule, d'un appareil, d'un outil ou d'une machine. Le châssis d'une voiture et le cadre d'un vélo sont de bons exemples de tels assemblages. On a déjà considéré qu'il s'agissait là d'une fonction distincte nommée support, mais on l'inclut maintenant dans la fonction liaison.

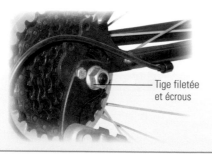

Tige filetée et écrous

FIG. 14.71 | **Les écrous qui retiennent la roue arrière au cadre d'un vélo sont des agents liants.**

Tube de rotation du guidon

FIG. 14.72 | **Guidage en rotation du guidon d'un vélo par le tube de rotation**

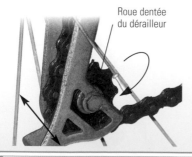

Roue dentée du dérailleur

FIG. 14.73 | La petite roue dentée du dérailleur assure le guidage en rotation et en translation de la chaîne d'un vélo au moment des changements de vitesse.

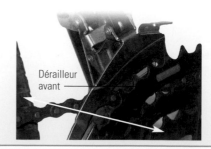

Dérailleur avant

FIG. 14.74 | Le dérailleur avant assure le guidage en translation de la chaîne d'un vélo au moment des changements de vitesse.

La fonction de guidage

Lorsqu'un dispositif sert à diriger le mouvement d'une autre pièce, il remplit une fonction de **guidage**. Certaines composantes assurent le guidage en rotation alors que d'autres permettent le guidage en translation (voir les figures 14.72 à 14.74).

Au cours du processus de fabrication, il faut porter une attention particulière à la fonction de guidage. Une pièce qui tourne ou qui coulisse irrégulièrement ne fera pas son travail correctement et mettra en péril tout le fonctionnement de l'objet fabriqué.

Voici quelques règles à respecter pour obtenir de bons résultats :

• les pièces doivent être fabriquées avec précision ;

• le positionnement des trous par où passent les axes doit être très précis ;

• les trous des axes de rotation devraient avoir un diamètre plus grand, d'au plus 0,4 mm (1/64e de pouce), que le diamètre des axes de rotation qui passent au travers ;

• les axes de rotation doivent être rigides ;

• chaque axe de rotation devrait être guidé à deux endroits ou par des pièces suffisamment épaisses (voir les figures 14.75 et 14.76).

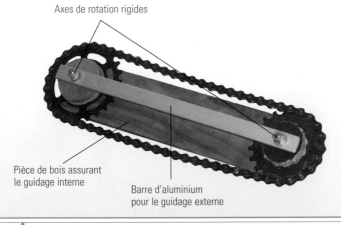

Axes de rotation rigides

Pièce de bois assurant le guidage interne

Barre d'aluminium pour le guidage externe

FIG. 14.75 Chaque côté de l'axe de rotation de chaque roue dentée est guidé en interne et en externe.

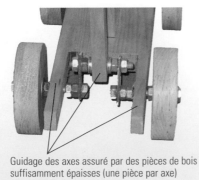

Guidage des axes assuré par des pièces de bois suffisamment épaisses (une pièce par axe)

FIG. 14.76 Lorsqu'on peut placer une seule pièce de guidage, celle-ci doit être large et rigide.

La fonction d'étanchéité

Une pièce ou un dispositif dont le rôle est de conserver un fluide ou une pâte, comme la graisse, à un endroit bien précis assure une fonction d'étanchéité. Cette fonction sert aussi à empêcher des corps étrangers (pluie, poussière, etc.) de pénétrer à l'intérieur de la machine. La chambre à air d'un pneu de vélo est un exemple d'un élément remplissant une fonction d'étanchéité pour un gaz, l'air (voir la figure 14.77).

La fonction de réduction du frottement (lubrification)

On utilise des roulements à billes ou à rouleaux pour diminuer la surface de contact entre deux pièces mobiles et ainsi réduire le frottement. De plus, ces mécanismes introduisent des corps roulants entre les surfaces, faisant en sorte que celles-ci puissent se déplacer les unes sur les autres plus facilement (voir les figures 14.78 et 14.79). De tels roulements se retrouvent dans presque tous les objets mécaniques exigeant des rotations rapides, comme les roues d'une voiture, d'un vélo ou de patins à roues alignées.

Pour réduire le frottement entre les pièces mobiles d'une machine, on se sert de divers lubrifiants : huile, graisse, cire, silicone, etc. (voir la figure 14.80). Les molécules de ces produits agissent comme de microscopiques billes réduisant la friction, comme le font les roulements à billes ou à rouleaux.

FIG. 14.77 La chambre à air d'un pneu de vélo permet de conserver l'air sous pression à l'intérieur du pneu.

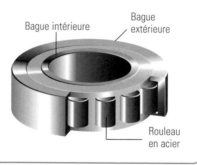

Bille en acier

Bague extérieure

Bague intérieure

Cage

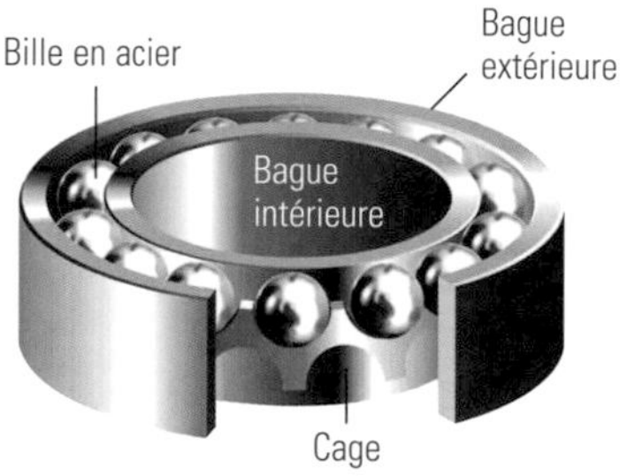

FIG. 14.78 Dans un roulement à billes, le frottement est réduit au minimum.

Bague intérieure

Bague extérieure

Rouleau en acier

FIG. 14.79 Dans les roulements à rouleaux, le frottement est un peu plus important que dans ceux à billes, mais ces roulements peuvent recevoir des charges plus lourdes.

FIG. 14.80 L'huile est un des principaux lubrifiants utilisés en mécanique.

6 LES LIAISONS DES PIÈCES MÉCANIQUES

 ST STE ATS

Chaque objet mécanique est constitué d'un nombre plus ou moins grand de pièces qu'il faut assembler. L'assemblage de ces pièces, ou liaison, se fait grâce à divers procédés ayant chacun des caractéristiques particulières.

6.1 Les caractéristiques d'une liaison ST ATS

Liaison directe ou indirecte

Si l'assemblage des pièces se fait sans aucun organe d'assemblage, c'est-à-dire généralement par pression, on dit que la liaison est directe (voir la figure 14.81). Si on utilise un organe d'assemblage, comme la vis, la liaison est indirecte (voir la figure 14.82).

Liaison démontable ou indémontable

L'axe de rotation de la roue d'un vélo (voir la figure 14.83) peut se démonter et se remonter, sans être endommagé. Il est fileté et des écrous peuvent s'y visser. Les tubes qui forment le cadre du vélo sont soudés (voir la figure 14.84). On ne peut pas les démonter sans les endommager.

FIG. 14.81 | **Liaison directe de la poignée d'un vélo sur le guidon**
La poignée se fixe par pression et le frottement la retient sur le guidon.

Vis

FIG. 14.82 | **Liaison indirecte de deux pièces d'un robot à l'aide de vis**

Écrou démontable de roue

FIG. 14.83 | **Liaison démontable de l'axe de rotation de la roue d'un vélo à l'aide de boulon et d'écrous**

Soudure du cadre

FIG. 14.84 | **Liaison indémontable du cadre d'un vélo**
Le cadre ne peut se démonter sans endommager les soudures qui retiennent les divers tubes.

Liaison rigide ou élastique

La liaison des rayons d'une roue de vélo à la jante ne doit permettre aucun mouvement afin d'éviter la déformation de cette dernière (voir la figure 14.85). Une telle liaison est dite rigide. Le pneu, lui, se déforme en roulant sur les obstacles de la route ; la liaison entre la jante et la route est élastique (voir la figure 14.86).

Liaison totale (complète, fixe) ou partielle (incomplète, mobile)

La manivelle du pédalier d'un vélo doit être fixée à la roue dentée (plateau) de manière à ne permettre aucun mouvement entre ces deux pièces (voir la figure 14.87). La pédale, par contre, est reliée à la manivelle par un organe qui lui permet d'effectuer un mouvement de rotation (voir la figure 14.88).

FIG. 14.85 Les rayons assurent une liaison rigide entre la jante et le moyeu central de la roue d'un vélo.

FIG. 14.86 Le pneu, installé sur la jante, peut se déformer et bouger au cours du roulement. Il s'agit d'une liaison élastique.

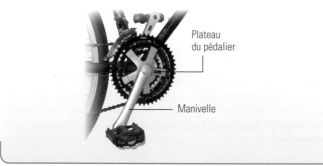

Plateau du pédalier

Manivelle

FIG. 14.87 La manivelle est reliée au plateau du pédalier par une liaison totale qui ne permet aucun mouvement entre les deux pièces.

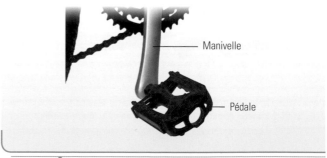

Manivelle

Pédale

FIG. 14.88 La pédale jouit d'une liaison partielle par rapport à la manivelle. Elle doit pouvoir tourner pour que le pied du ou de la cycliste puisse toujours être dans la bonne position.

6.2 L'adhérence et le frottement des pièces assemblées STE ATS

Lorsqu'on tente de faire glisser l'une par rapport à l'autre deux pièces mises en contact, une force appelée force de friction s'oppose au glissement. La valeur de cette force dépend de celle qui est appliquée pour maintenir les deux pièces en contact, nommée force normale parce qu'elle s'applique perpendiculairement aux surfaces en contact. La force de friction s'oppose à la force externe qui, elle, essaie de produire le glissement (voir la figure 14.89).

En physique, on définit le «coefficient de friction» comme étant un rapport de proportionnalité entre la force de friction et la force normale agissant sur les surfaces en contact. Lorsque la force externe appliquée sur une pièce est inférieure à la force minimale nécessaire pour la mettre en mouvement, la pièce ne bouge pas, il y a **adhérence** entre les surfaces (voir la figure 14.90). Si, au contraire, la force externe dépasse en valeur la force de friction, la pièce glisse (voir la figure 14.91). Il se produit alors du frottement entre les deux surfaces. On distingue deux coefficients de friction, soit le coefficient statique et le coefficient dynamique. Le premier s'applique tant qu'il n'y a pas de glissement. Le second doit être utilisé s'il y a glissement. Le coefficient dynamique est plus faible que le coefficient statique (voir la figure 14.92).

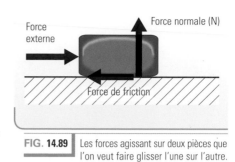

FIG. **14.89** Les forces agissant sur deux pièces que l'on veut faire glisser l'une sur l'autre.

Les deux coefficients de friction dépendent de divers facteurs, dont:

- les types de matériaux mis en contact;
- la présence de lubrifiant;
- la rugosité des surfaces.

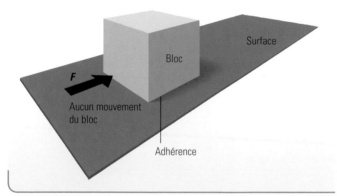

FIG. **14.90** Lorsque la force *F* est inférieure à la force de friction statique, il n'y a pas de glissement et l'on peut parler d'adhérence.

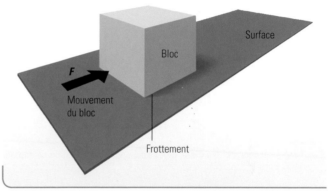

FIG. **14.91** Lorsque que la force *F* est supérieure à la force de friction statique, il y a glissement et l'on peut parler de frottement.

FIG. **14.92** À gauche, la roue motrice du vélo roulant sur une surface asphaltée développe suffisamment de poussée pour faire avancer le vélo et le ou la cycliste. Le coefficient de friction entre le pneu en caoutchouc et l'asphalte est élevé. La force de friction étant supérieure à la poussée, il n'y a pas de glissement.

À droite, sur une surface de glace, le coefficient de friction diminue énormément, et la force de friction est diminuée d'autant. La poussée ne pouvant pas dépasser la force de friction sans qu'il y ait glissement, elle doit donc être très limitée.

6.3 Les degrés de liberté des pièces assemblées

Tous les objets qui se déplacent dans l'espace (dans l'air, dans l'eau ou sur terre) peuvent avoir un maximum de six degrés de liberté, ou façons de se déplacer. C'est également le cas des pièces assemblées l'une à l'autre. Chaque pièce peut avoir **cumulé** zéro, un ou plusieurs degrés de liberté selon la complexité de l'assemblage (voir la figure 14.93).

Ces déplacements ou degrés de liberté peuvent se faire en :

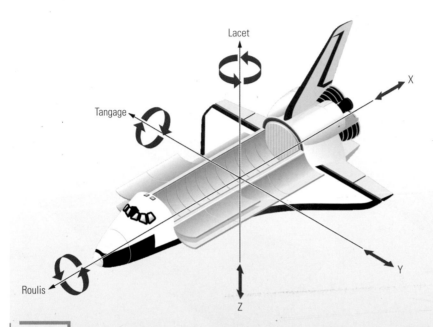

TRANSLATION

AVANT – ARRIÈRE (selon l'axe X)

GAUCHE – DROITE (selon l'axe Y)

HAUT – BAS (selon l'axe Z)

ROTATION

ROULIS (autour de l'axe X)

TANGAGE (autour de l'axe Y)

LACET (autour de l'axe Z)

FIG. 14.93 Une navette spatiale, tout comme un avion, peut de se déplacer selon les six degrés de liberté.

6.4 Les principaux organes d'assemblage

Lorsqu'une liaison est directe, c'est la précision de la fabrication des composantes qui permet aux pièces de s'imbriquer les unes dans les autres. Seule la pression maintient ensemble ces diverses pièces. Cependant, la plupart des mécanismes sont assemblés grâce à des liaisons indirectes nécessitant l'usage d'organes d'assemblage variés. Les principaux organes d'assemblage sont les clous, les vis, les **boulons**, les **rondelles** et écrous, les rivets, les adhésifs et les soudures.

Les clous

Les clous servent généralement à relier des pièces de bois de façon permanente. Bien qu'on puisse les enlever, ils ne sont pas conçus pour le démontage. Ils permettent de faire des liaisons indirectes, indémontables, complètes et rigides. Les trois types de clous les plus utilisés sont illustrés aux figures 14.94 à 14.96.

FIG. 14.94 Le clou commun est utilisé pour former une charpente ou lorsque la finition importe peu.

FIG. 14.95 Le clou à finition est muni d'une tête plus délicate, plus facile à dissimuler avec de la pâte de bois.

FIG. 14.96 Le clou vrillé est employé là où la résistance à l'arrachement doit être supérieure.

Les vis

Avec les vis, on peut assembler des composantes de bois, de métal, de plastique, etc. Les vis assurent des assemblages beaucoup plus robustes que les clous. Elles permettent de réaliser des liaisons généralement indirectes, démontables, complètes et rigides. Les principaux types de vis, soit ceux dont on se sert le plus fréquemment, sont illustrés aux figures 14.97 à 14.99.

Pour chacun des types de vis, on peut choisir l'une de trois prises proposées, selon le tournevis utilisé (voir les figures 14.100 à 14.102).

Les tournevis Robertson sont identifiés par un code de couleurs, soit:

Jaune: vis n° 4   Vert: vis n° 6

Rouge: vis n° 8 ou 10   Noir: vis n° 10, 12 ou 14

FIG. 14.97 | Vis à bois à tête plate

FIG. 14.98 | Vis à bois à tête ronde

FIG. 14.99 | Vis à métaux

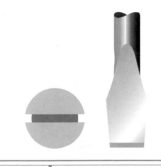
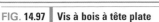

FIG. 14.100 | Vis à rainure

FIG. 14.101 | Vis cruciforme, aussi appelée étoilée ou Phillips

FIG. 14.102 | Vis carrée ou Robertson

14.2 : Niveau de retenue et organes de fixation

But : comparer la capacité de retenue (ou force de liaison) de quelques organes de liaison simples, soit les clous, les vis et les boulons. ■

Les boulons, rondelles et écrous

Les boulons, rondelles et écrous permettent le même genre de liaisons que les vis, mais autorisent un démontage et remontage aussi fréquent que requis. Ils permettent aussi de réaliser des assemblages beaucoup plus robustes qu'avec les vis. Les liaisons que l'on obtient sont indirectes, démontables, rigides, complètes ou incomplètes. Les divers types de boulons, de rondelles et d'écrous sont illustrés aux figures 14.103 à 14.107.

FIG. 14.103 Le tire-fond ou boulon à bois, utilisé seulement dans le bois, fait le même travail qu'une vis, mais permet une meilleure prise pour tourner la tête. Une clé ou une clé à douille est nécessaire pour faire tourner la tête et effectuer le serrage.

FIG. 14.104 Le boulon mécanique à tête carrée ou hexagonale peut relier des matériaux de tous genres. Comme dans le cas du tire-fond, il faut se servir d'une clé ou d'une clé à douille pour faire tourner la tête et effectuer le serrage.

FIG. 14.105 Le boulon à carrosserie permet de fixer les pièces sans avoir à bloquer la tête du boulon avec un outil au cours du serrage.

FIG. 14.106 Le boulon à métaux permet d'assembler tous types de matériaux. On actionne la tête à l'aide d'un tournevis, comme pour les vis.

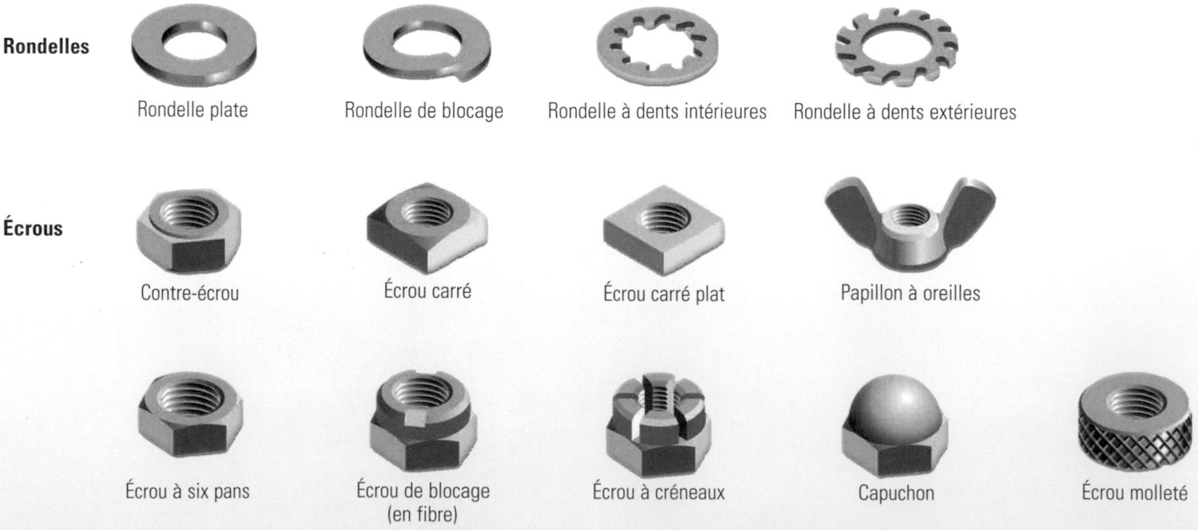

Rondelles

Rondelle plate   Rondelle de blocage   Rondelle à dents intérieures   Rondelle à dents extérieures

Écrous

Contre-écrou   Écrou carré   Écrou carré plat   Papillon à oreilles

Écrou à six pans   Écrou de blocage (en fibre)   Écrou à créneaux   Capuchon   Écrou molleté

FIG. 14.107 Les divers types d'écrous et de rondelles les plus fréquemment utilisés

Les rivets

Les rivets sont de petites tiges métalliques munies d'une tête qui peut prendre des formes variées. On les insère à travers les pièces à assembler, puis on les bloque en place en les «écrasant» à l'aide d'un marteau et d'un outil spécial. Ce genre d'organe d'assemblage permet d'obtenir des liaisons indirectes, rigides, indémontables et complètes. Plusieurs rivets sont illustrés aux figures 14.108 à 14.110.

Tête ronde   Tête plate   Tête fraisée   Rivet fendu

FIG. 14.108   **Divers types de rivets munis de têtes variées**

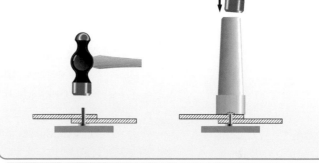

FIG. 14.109   Pour bloquer les rivets, on écrase la tige à l'aide d'un marteau ou d'une bouterolle.

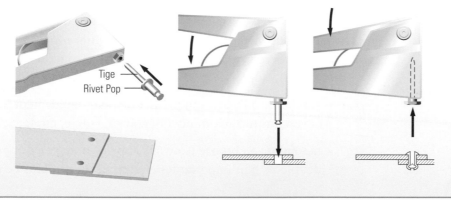

Tige
Rivet Pop

FIG. 14.110   Le rivet Pop est très populaire, car il n'exige pas l'usage d'un marteau ou d'une bouterolle. Une pince spéciale permet d'écraser le corps du rivet sur les pièces à assembler.

Les adhésifs

Les adhésifs, souvent appelés colles, sont des produits d'origine naturelle ou de composition synthétique ayant pour but de relier divers types de composantes en créant entre elles un lien chimique et mécanique. Il existe une multitude de types d'adhésifs selon le type des matériaux à relier et la résistance qu'ils doivent offrir (voir la figure 14.111).

FIG. 14.111   **Divers types d'adhésifs selon le genre de matériaux à coller et la résistance requise**

Voici quelques-uns des adhésifs les plus utilisés :

- la colle blanche sert à relier les produits poreux comme le bois, le papier, le carton ;

- la colle jaune de menuisier fait le même travail que la colle blanche ;

- la colle **thermofusible**, souvent appelée colle chaude, permet de relier des pièces de plusieurs types de matériaux, et ce, très rapidement ;

- la colle en bâton est largement employée pour coller papier et carton ;

- la colle contact permet de relier des pièces simplement en les mettant en contact l'une avec l'autre ;

- les colles à base de résine d'époxy se présentent souvent sous la forme de deux seringues, dont l'une contient la résine et l'autre le réactif qui permet à la résine de réagir et de durcir.

Les soudures

On pourrait considérer les soudures comme une « colle » ne pouvant être utilisée qu'avec les métaux et devant être chauffée pour agir. En fait, la soudure est un métal que l'on fait fondre pour qu'il vienne s'agripper à la surface des deux pièces métalliques à joindre. Tout comme pour les adhésifs, il existe une très grande variété de types de soudure selon le genre de métaux à relier. On peut réaliser toutes sortes de projets en ayant recours à seulement deux types de soudure (voir les figures 14.112 et 14.113), soit :

- la soudure à l'étain, qui permet de relier rapidement les fils électriques et certains métaux minces (fer, acier, cuivre, etc.) ;

- la soudure au bronze (souvent appelée brasage), qui permet de relier des pièces plus importantes et avec beaucoup plus de résistance.

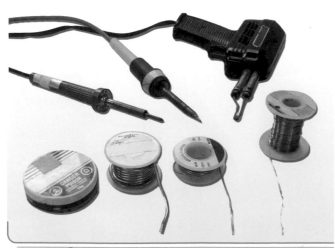

FIG. 14.112 Différents calibres de soudure à l'étain ainsi que les types d'outils de soudure électriques les plus couramment utilisés

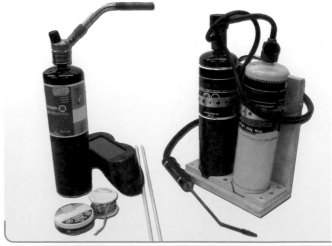

FIG. 14.113 À gauche, un chalumeau au propane permettant de réaliser des soudures à l'étain sur des pièces de gros calibre. À droite, un chalumeau map-oxygène pour la réalisation de soudures au bronze

1 LES MOUVEMENTS ET LES FORCES ST ATS

ST ATS

1. Nommez les forces et les mouvements représentés par les symboles ci-dessous, utilisés en mécanique pour réaliser les schémas de principe d'un objet.

a)

d)

g)

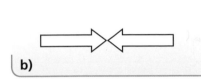

b)

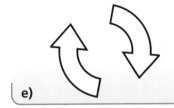

e)

h)

c)

f)

2 LES MÉCANISMES DE TRANSMISSION DE MOUVEMENT ST ATS

ST ATS

2. En observant les illustrations d'un vélo ci-dessous :

a) Nommez le type d'organe principalement illustré, selon le rôle qu'il joue ;

b) Décrivez, en quelques mots, l'action réelle exercée par chaque organe ;

c) Donnez un exemple d'un organe d'un autre appareil, outil ou véhicule jouant le même rôle que celui nommé en **a).**

 A

 B

 C

ST
ATS
3. Nommez les mécanismes de transmission de mouvement associés
aux illustrations ci-dessous. Dans le cas de chaque mécanisme,
précisez ses caractéristiques et donnez un exemple d'utilisation.

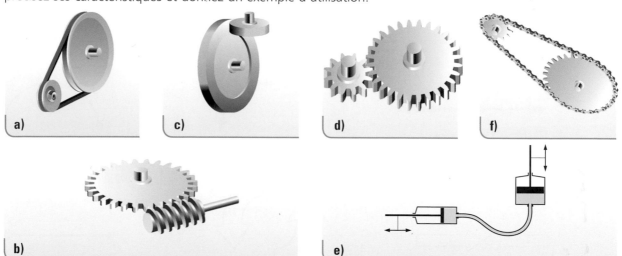

a)

c)

d)

f)

b)

e)

③ LES MÉCANISMES DE TRANSFORMATION DE MOUVEMENT   **ST** **STE** **ATS**

ST
ATS
4. Nommez les mécanismes de transformation de mouvement associés
aux illustrations ci-dessous. Dans le cas de chaque mécanisme,
précisez ses caractéristiques et donnez un exemple d'utilisation.

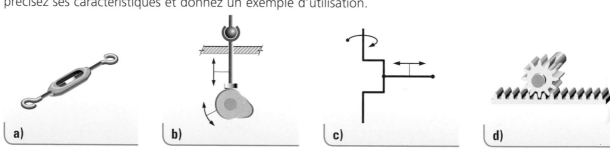

a)

b)

c)

d)

STE
ATS
5. Définissez le terme *excentrique*.

④ LES CHANGEMENTS DE VITESSE   **ST** **ATS**

ST
ATS
6. En observant les illustrations ci-dessous, spécifiez laquelle représente
l'organe menant et laquelle représente l'organe mené d'un vélo.

a)

b)

(ATS) **7.** En vous référant aux illustrations ci-dessous, donnez une définition de *couple*.

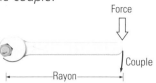

(ST) **(ATS)** **8.** Dans chacun des mécanismes de transmission de mouvement représentés ci-dessous, l'organe menant est situé à gauche et l'organe mené à droite. Déterminez si :

a) la vitesse de rotation (V) de l'organe mené sera augmentée ou réduite par rapport à celle de l'organe menant (utilisez « V augmentation » ou « V réduction » pour donner votre réponse) ;

b) le couple de rotation (C) de l'organe mené sera augmenté ou réduit par rapport à celui de l'organe menant (utilisez « C augmentation » ou « C réduction » pour donner votre réponse).

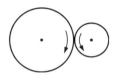

A

V _____

C _____

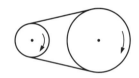

C

V _____

C _____

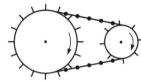

E

V _____

C _____

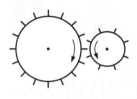

G

V _____

C _____

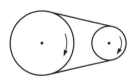

B

V _____

C _____

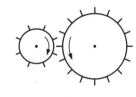

D

V _____

C _____

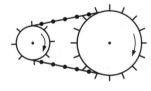

F

V _____

C _____

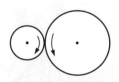

H

V _____

C _____

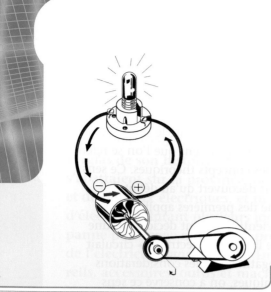

FIG. 15.3 Une source de courant continu se comporte comme une pompe rotative qui pousserait toujours les électrons dans le même sens.

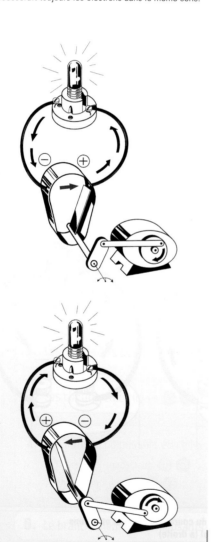

FIG. 15.4 Une source de courant alternatif se comporte comme une pompe va-et-vient qui pousserait les électrons vers la droite, puis vers la gauche, forçant les électrons à changer de direction.

Le courant se subdivise aussi en deux catégories. Le **courant continu** (CC) est caractérisé par un mouvement d'électrons se faisant continuellement dans le même sens (voir la figure 15.3). Le **courant alternatif** (CA) est caractérisé par un mouvement d'électrons se faisant alternativement dans un sens puis dans l'autre, comme le montre la figure 15.4.

Il existe plusieurs manières de créer un courant électrique. Nous verrons quelques-unes des principales sources d'électricité, soit la chaleur, la pression, la lumière, l'action chimique et le magnétisme.

La chaleur

Si on réunit deux métaux différents, par exemple le cuivre et le zinc, on crée un **thermocouple**. Si on chauffe ce dispositif, on observera, sur un voltmètre, le potentiel électrique qui est généré (voir la figure 15.5). Comme il y a mouvement d'électrons, il y a donc apparition d'un courant électrique continu. Ce type de système produit de très faibles quantités d'électricité. Il est notamment utilisé dans les détecteurs de chaleur des moteurs de voiture.

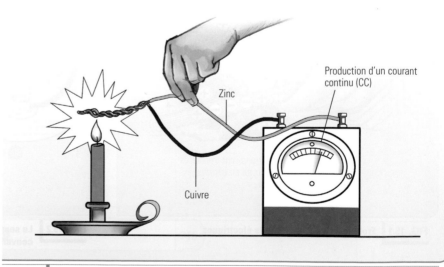

Zinc

Production d'un courant continu (CC)

Cuivre

FIG. 15.5 **Production d'électricité par la chaleur**

La pression

Il est possible de forcer les électrons à circuler dans un cristal de quartz selon un dispositif piézo-électrique : on place le cristal entre deux plaques métalliques en appliquant une pression suffisante sur les deux plaques (voir la figure 15.6). On obtient ainsi une très faible quantité de courant continu. Les allumeurs de cuisinières au gaz utilisent ce principe.

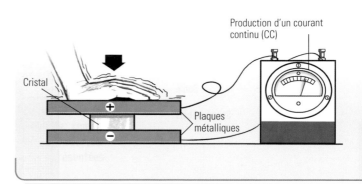

FIG. 15.6 | **Production d'électricité par la pression**

La lumière

Certains types d'éléments chimiques, comme le sélénium, placés entre une plaque de métal et une plaque de verre, ont la propriété de forcer le mouvement des électrons s'ils sont frappés par la lumière (voir la figure 15.7). Les **piles photovoltaïques**, aussi appelées piles solaires, produisent une faible quantité de courant continu. Cependant, en branchant plusieurs éléments ensemble, on obtient des courants appréciables.

L'action chimique

Lorsqu'on plonge deux **électrodes** dans un bassin contenant un électrolyte, souvent une solution acide, les deux électrodes réagissent avec ce dernier, comme l'illustre la figure 15.8. Par la suite, si l'on branche un fil de métal entre les deux électrodes, les électrons commencent à circuler dans ce conducteur et dans l'électrolyte pour générer une quantité moyenne de courant continu, comme dans l'illustration de la figure 15.9. C'est le principe utilisé dans les **accumulateurs** des voitures et dans les piles sèches (voir la figure 15.10, à la page suivante). Dans ces dernières, cependant, l'électrolyte est une pâte humide.

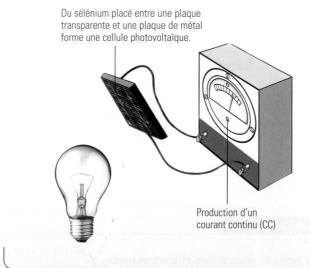

Du sélénium placé entre une plaque transparente et une plaque de métal forme une cellule photovoltaïque.

Production d'un courant continu (CC)

FIG. 15.7 | **Production d'électricité par la lumière**

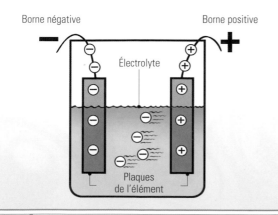

Fig. 15.8 | Deux plaques de métaux distincts plongées dans un électrolyte provoquent un mouvement des électrons d'une plaque de métal à l'autre. Cela occasionne un déséquilibre électronique dans l'électrolyte.

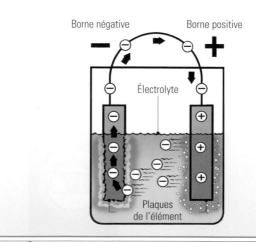

FIG. 15.9 | Lorsque les deux plaques sont branchées entre elles, à l'extérieur de l'électrolyte, les électrons sont forcés de circuler dans le conducteur extérieur.

Comment fabriquer un électroaimant?

Comme le montrent les figures 15.22 et 15.23, il est possible de fabriquer un électro-aimant avec un boulon sur lequel on installe un écrou et une rondelle. On enrobe ensuite le boulon de ruban électrique et on enroule par-dessus un fil isolé fin. Plus on enroulera de spires, plus la force de l'électroaimant sera grande. ∎

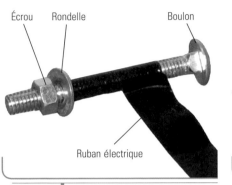
Écrou   Rondelle   Boulon

Ruban électrique

FIG. 15.22 | **Premières étapes de fabrication d'un électroaimant**

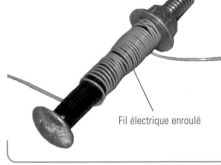
Fil électrique enroulé

FIG. 15.23 | **Électroaimant artisanal**

Les ampoules

Résultat du travail de Thomas Edison, l'ampoule électrique incandescente fut inventée en 1878, après de longues recherches. Une telle ampoule est constituée d'un filament de tungstène supporté par deux électrodes d'acier, le tout intégré dans un globe de verre sous vide ou contenant un gaz inerte (voir la figure 15.24).

Lorsqu'un courant suffisamment élevé traverse le filament de tungstène, celui-ci s'échauffe et émet de la lumière et de la chaleur. Comme le fila-ment se trouve dans une atmosphère inerte (sans oxygène), il ne brûle pas et continue à émettre lumière et chaleur. Le symbole de l'ampoule à incandescence est présenté à la figure 15.25.

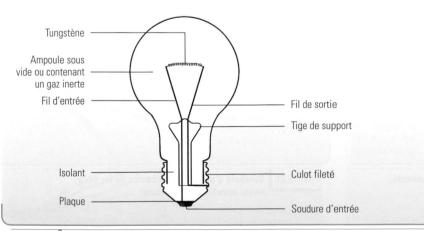
Tungstène

Ampoule sous vide ou contenant un gaz inerte

Fil d'entrée

Fil de sortie

Tige de support

Isolant

Culot fileté

Plaque

Soudure d'entrée

FIG. 15.24 | **Les divers composants d'une ampoule incandescente moderne**
Le filament de tungstène est chauffé à blanc par le courant. Comme il est dans une ampoule de verre ne contenant pas d'oxygène, il ne brûle pas et émet de la lumière et de la chaleur.

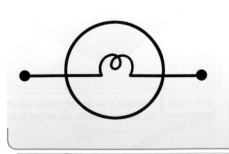

FIG. 15.25 | **Symbole d'une ampoule à incandescence**

Depuis quelques années, les ampoules incandescentes sont graduellement remplacées par des ampoules fluocompactes moins énergivores. Ce type d'ampoules, tout comme les tubes fluorescents (voir la figure 15.26), produisent de trois à cinq fois plus de lumière pour la même quantité d'électricité consommée.

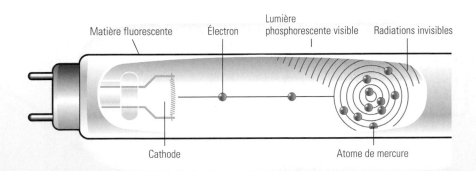

① La cathode produit une décharge électrique qui fait réagir les atomes de mercure.

② Les atomes de mercure soumis à l'électricité émettent une radiation invisible.

③ Les radiations invisibles produisent une lumière phosphorescente visible en frappant une pellicule de matière fluorescente.

FIG. 15.26 | Les principaux composants d'un tube fluorescent

Les moteurs ST ATS

Constitué de plusieurs bobines fixes (le stator) et de bobines tournantes (le rotor), le moteur électrique permet de transformer l'électricité en force mécanique. Différents types de moteurs sont décrits ci-dessous.

• Le moteur en série ou moteur universel

Le moteur en série est le moteur électrique le plus répandu. En raison de sa simplicité et de son coût de production relativement bas, il équipe une variété impressionnante de petits appareils et outils électriques portatifs, des outils de jardinage, des aspirateurs, divers accessoires, etc. Dans ce genre de moteur, les diverses bobines du stator et du rotor sont branchées l'une à la suite de l'autre, ce qui permet d'utiliser aussi bien le courant continu que le courant alternatif pour l'alimenter (voir la figure 15.27, à la page suivante).

★★★ DÉFI

Le moteur en série

Le moteur en série peut fonctionner avec l'un ou l'autre des deux types de courant, CA ou CC. Expliquez pourquoi et comment. ■

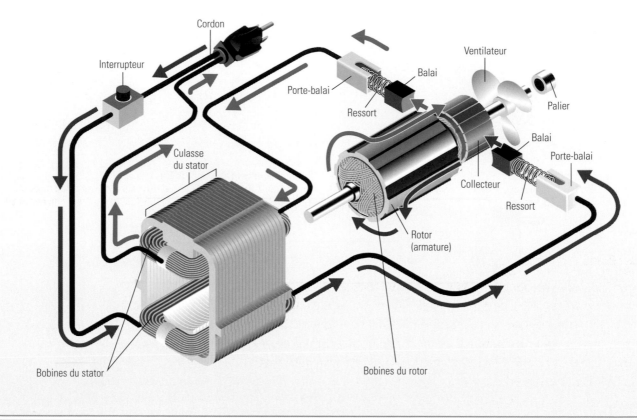

Cordon

Interrupteur

Ventilateur

Palier

Balai

Porte-balai

Ressort

Culasse
du stator

Balai

Porte-balai

Collecteur

Ressort

Rotor
(armature)

Bobines du stator

Bobines du rotor

FIG. 15.27 | **Fonctionnement d'un moteur en série**

Ce mode de branchement permet de toujours «synchroniser» le champ magnétique du rotor par rapport à celui du stator et de provoquer ainsi une rotation qui s'effectue toujours dans le même sens, même si le courant change de sens. Les flèches rouges indiquent l'arrivée des électrons en provenance de la source. Les flèches bleues indiquent le retour des électrons vers la source.

• Le moteur à induction magnétique

Le moteur à induction magnétique ne fonctionne qu'avec le courant alternatif (CA). Contrairement au moteur en série, ce type de moteur n'a pas de balais. On envoie le courant alternatif directement dans le stator. Le champ magnétique ainsi créé dans le stator génère un champ magnétique dans le rotor sans qu'il y ait de contact. Le champ magnétique du rotor ainsi induit interagit avec celui du stator, ce qui force le rotor à tourner. Par contre, un bobinage spécial est nécessaire. Dans certains modèles, on ajoute aussi un condensateur pour faire démarrer le moteur. Dès que le moteur est en marche, le bobinage de démarrage est débranché automatiquement par le biais de contacts centrifuges.

• Le moteur à aimant permanent

Généralement de petite taille, le moteur à aimant permanent ressemble beaucoup au moteur en série, sauf que le bobinage du stator est remplacé par un aimant permanent (voir la figure 15.28). Ce genre de moteur s'utilise pour actionner de très petits appareils ne nécessitant que peu de puissance. Il ne fonctionne qu'avec du courant continu (CC).

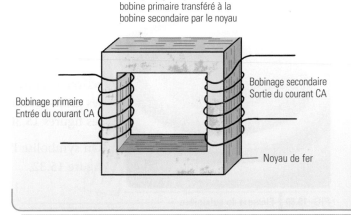

Champ magnétique de la
bobine primaire transféré à la
bobine secondaire par le noyau

Bobinage primaire
Entrée du courant CA

Bobinage secondaire
Sortie du courant CA

Noyau de fer

Bobinage du rotor   Boîtier   Collecteur de courant du rotor

Aimants permanents s'insérant dans le boîtier

FIG. 15.28	Disposition des composants d'un moteur à aimant permanent

FIG. 15.29	Schéma de principe d'un transformateur et du transfert du champ magnétique du bobinage primaire au bobinage secondaire

Le transformateur

Nous utilisons une des applications de la bobine tous les jours à la maison, au travail, dans les loisirs, et ce, sans même nous en rendre compte. C'est le **transformateur**, illustré à la figure 15.29. Comme son nom l'indique, ce composant sert à transformer la tension électrique ou, plus particulièrement, à monter ou à abaisser la tension. En fait, un transformateur est un appareil électromagnétique statique qui change la valeur d'une tension électrique par le biais de deux ou plusieurs bobines mises côte à côte.

La variation de tension entre le bobinage primaire et le secondaire dépend du nombre de spires de chacun des bobinages, comme le montre le tableau 15.1.

TABLEAU 15.1 Les trois types de transformateurs

PRIMAIRE	SECONDAIRE	TRANSFORMATEUR
		Ratio 1 : 1 Si le primaire et le secondaire ont le même nombre de spires, il n'y a aucune variation de tension.
		Survolteur Si le primaire a 10 spires et le secondaire 100 spires, le transformateur est survolteur. Dans ce cas, la tension est multipliée par 10 à la sortie du secondaire (ratio 1 : 10).
		Dévolteur Si le primaire a 100 spires et le secondaire seulement 10 spires, le transformateur est dévolteur. Dans ce cas, la tension est divisée par 10 (ratio 10 : 1).

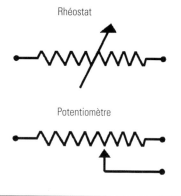

Bornes extérieures

Couvercle

Contact extérieur variable

Contact glissant variable

Élément résistant

Tige tournante

FIG. 15.39 | **Une résistance variable au carbone (potentiomètre)**

Les résistances variables

Les résistances variables sont des résistances pures dont la valeur peut varier lorsqu'on tourne un bouton (voir la figure 15.39). Une des applications de ces résistances est le contrôle du volume des appareils électroniques. On appelle aussi ces composants **rhéostat** ou **potentiomètre**. Les symboles d'une résistance variable sont présentés à la figure 15.40.

Les avertisseurs sonores

En modifiant le branchement de la bobine d'un électroaimant, on peut transformer ce dernier en vibreur sonore (voir la figure 15.41). Les vibreurs sonores ont été utilisés pour améliorer le télégraphe et pour diverses sonneries, comme celles des téléphones et des portes d'entrée (voir la figure 15.42). Quoique toujours en usage, ils sont de plus en plus souvent remplacés par des avertisseurs électroniques qui consomment moins de courant (voir la figure 15.43).

Rhéostat

Potentiomètre

FIG. 15.40 | **Symboles d'une résistance variable**

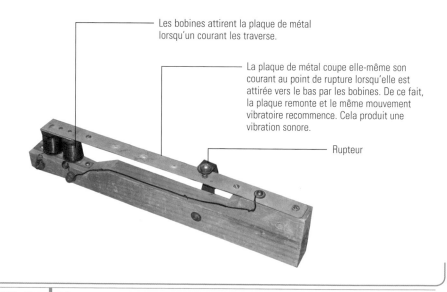

Les bobines attirent la plaque de métal lorsqu'un courant les traverse.

La plaque de métal coupe elle-même son courant au point de rupture lorsqu'elle est attirée vers le bas par les bobines. De ce fait, la plaque remonte et le même mouvement vibratoire recommence. Cela produit une vibration sonore.

Rupteur

FIG. 15.41 | **Principe de fonctionnement d'un vibreur sonore, aussi appelé buzzer**

FIG. 15.42 | **Deux modèles de sonneries de porte**

La sonnerie de gauche est un avertisseur à vibration; celle de droite est reliée à une cloche.

FIG. 15.43 | **Divers modèles d'avertisseurs sonores piézo-électriques modernes**

Ces composants utilisent beaucoup moins de courant.

Les systèmes de contrôle permettent de faire passer les électrons là où on le désire ou, tout simplement, de les arrêter. Grâce à eux, il n'est pas nécessaire de débrancher et rebrancher les fils et les résistances à la source, lorsqu'on veut allumer ou éteindre une lumière, par exemple. Ils assurent la fonction de commande.

4.1 Les composants à commande manuelle

Il existe plusieurs types de systèmes de contrôle à commande manuelle, soit l'interrupteur, le commutateur et le sélecteur.

L'interrupteur

On pourrait comparer l'**interrupteur** à un pont-levis. En effet, lorsqu'un tel pont est levé, aucun véhicule ne peut le traverser, ce qui interrompt la circulation. Lorsqu'un interrupteur est levé (ouvert), aucun électron ne peut le traverser, ce qui interrompt la circulation du courant électrique. Un interrupteur unipolaire (un pôle : une rangée de branchements reliés) a deux points de branchement (voir la figure 15.44). Il ne permet le contact que dans la position ON. On le code SPST pour « *single pole, single throw* ». Le symbole d'un interrupteur est présenté à la figure 15.45.

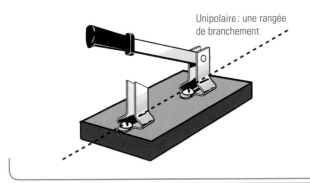

Unipolaire : une rangée de branchement

| FIG. **15.44** | Interrupteur unipolaire (SPST) |

OFF

ON

| FIG. **15.45** | Symbole d'un interrupteur unipolaire |

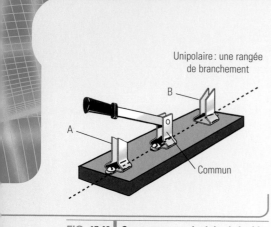

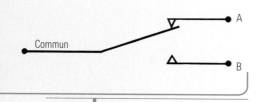

Unipolaire : une rangée de branchement

FIG. **15.46** **Commutateur unipolaire à double position (SPDT)**

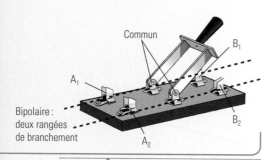

Commun

A

B

FIG. **15.47** **Symbole d'un commutateur unipolaire à deux positions**

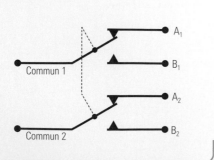

Commun

B₁

A₁

Bipolaire : deux rangées de branchement

B₂

A₂

FIG. **15.48** **Commutateur bipolaire à double position, de type à couteau (DPDT)**

A₁

B₁

Commun 1

A₂

B₂

Commun 2

FIG. **15.49** **Symbole d'un commutateur bipolaire à deux positions**

Les commutateurs

Le rôle du **commutateur** simple, dont le nom provient du latin *commutare* signifiant «changer», consiste à changer la direction du courant de A vers B. On l'utilise pour les circuits «trois voies» des maisons, ces circuits qui nous permettent de contrôler le fonctionnement des lumières d'une pièce à partir de deux endroits différents. Le commutateur a trois points de branchement : le commun, le A et le B, illustrés à la figure 15.46. Le courant arrivant par le commun peut être dirigé d'un côté ou de l'autre. Le commutateur a donc deux positions de branchement. Il est toutefois unipolaire, car il n'a qu'une seule rangée de branchement. On le code SPDT pour «*single pole, double throw*». Le symbole d'un commutateur est présenté à la figure 15.47.

Le commutateur double ou triple est l'équivalent de deux ou trois commutateurs unipolaires simples fonctionnant avec un seul levier de contrôle (voir la figure 15.48). Cette pièce permet d'actionner plusieurs commutateurs simples en même temps. De tels commutateurs sont souvent utilisés dans les appareils électroniques où plusieurs fonctions doivent être contrôlées avec un seul contrôle. On les code DPDT pour «*double pole, double throw*» ou TPDT pour «*triple pole, double throw*». Le symbole d'un commutateur bipolaire à deux positions est présenté à la figure 15.49.

Le sélecteur

Comme son nom l'indique, le **sélecteur** sert à effectuer un choix non pas entre deux positions, mais entre trois ou plus (voir la figure 15.50). On trouve cette pièce, entre autres, sur les laveuses domestiques, pour sélectionner le cycle de lavage désiré, et sur certains appareils qui offrent un choix de fonctions. Le symbole d'un sélecteur est présenté à la figure 15.51.

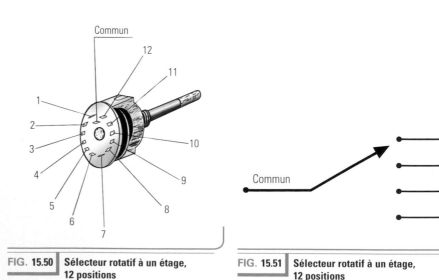

Commun

12

11

1

2

10

3

9

4

8

5

6

7

FIG. **15.50** **Sélecteur rotatif à un étage, 12 positions**

Commun

FIG. **15.51** **Sélecteur rotatif à un étage, 12 positions**

4.2 Les composants à commande magnétique

Lorsqu'on veut contrôler de très forts courants électriques ou quand il est nécessaire d'établir ce contrôle à distance, ou alors quand on veut isoler un circuit de commande et un circuit de contrôle, on utilise des **relais**. Le relais est la combinaison d'un électroaimant et d'un système de contrôle (interrupteur, commutateur, etc.). Lorsque le courant passe dans la bobine du relais, celle-ci attire le contact commun mobile vers le point B. Quand il n'y a pas de courant, le ressort maintient le contact avec le point A (voir la figure 15.52). La sécheuse à linge utilise ce système pour alimenter en courant les éléments chauffants qui sèchent le linge, et ce, par le biais d'une minuterie et d'un sélecteur de cycles de séchage. Le symbole d'un relais est présenté à la figure 15.53.

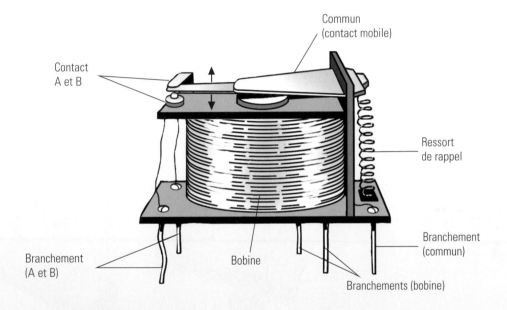

FIG. 15.52 | **Relais avec contacts de type commutateur SPDT**

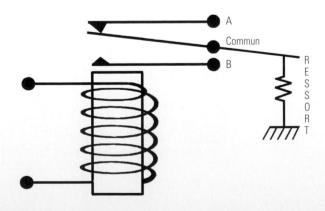

FIG. 15.53 | **Représentation graphique du relais SPDT**

Lorsqu'un circuit est en fonction, une certaine quantité de courant doit le traverser pour lui permettre de fonctionner adéquatement. Une défectuosité ou un bris pourrait faire augmenter le niveau de courant, et les composants pourraient alors brûler ou fondre. Dans le pire scénario, la défectuosité pourrait même provoquer un incendie. Pour éviter une telle situation, on installe des composants ayant pour but d'interdire un trop haut niveau de courant.

Le fusible

Un **fusible** est un petit tube de verre contenant un filament de métal, généralement du plomb, qui fond dans le cas où le courant est trop élevé, ce qui provoque une surchauffe du circuit (voir la figure 15.54). Lorsqu'un fusible fond, il faut le remplacer par un neuf; chacun ne sert qu'une fois. Le symbole d'un fusible est présenté à la figure 15.55.

La figure 15.56 montre plusieurs types de fusibles servant à divers usages.

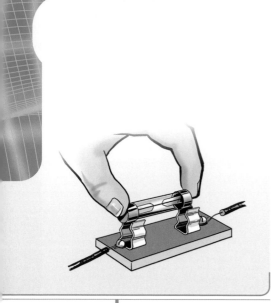

FIG. **15.54** Fusible de type cavalier

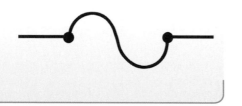

FIG. **15.55** Symbole du fusible

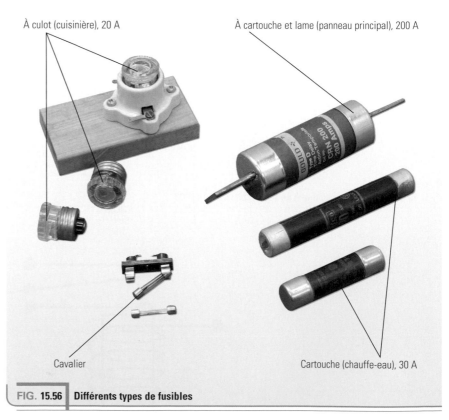

À culot (cuisinière), 20 A

À cartouche et lame (panneau principal), 200 A

Cavalier

Cartouche (chauffe-eau), 30 A

FIG. **15.56** Différents types de fusibles

Le disjoncteur

Le **disjoncteur** joue exactement le même rôle que le fusible, sauf qu'au lieu de fondre, s'il y a surcharge, il se déclenche, coupant ainsi le passage du courant (voir la figure 15.57). Ce sont des dispositifs semblables à celui de la figure 15.58 qui équipent les résidences, de nos jours. Le disjoncteur se comporte comme un interrupteur activé par la chaleur. Lorsqu'un contact bi-métal est traversé par un courant trop fort, il se plie sous l'effet de la chaleur générée par ce courant et coupe ainsi la connexion. Pour le représenter, on utilise le même symbole que pour le fusible.

Le courant est sous la limite du disjoncteur. Le contact bi-métal est froid. Il reste en position pour laisser passer le courant.

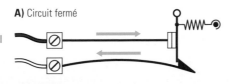

A) Circuit fermé

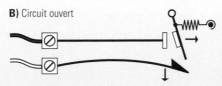

B) Circuit ouvert

Le courant a été trop élevé par rapport à la limite du disjoncteur. Le contact bi-métal a surchauffé et s'est recourbé, ce qui a permis le déclenchement du disjoncteur.

FIG. 15.57 | **Schéma de principe d'un disjoncteur mécanique**

FIG. 15.58 | **Disjoncteur moderne comme on en trouve dans les maisons.**

Pour créer un **circuit électrique**, il suffit de disposer du schéma électrique approprié et des divers composants. En se basant sur le schéma, on branche chaque composant dans l'ordre. Un circuit doit obligatoirement compter un minimum de trois types de composants : une source, des fils et des résistances. S'il manque un de ces composants, le circuit ne fonctionnera pas ou sera en situation de court-circuit (circuit sans résistance) et surchauffera. Pour rendre le circuit plus facile à utiliser et plus sûr, on ajoute généralement un système de contrôle et un dispositif de protection.

Les circuits mixtes

Vous connaissez déjà les circuits en série et les circuits en parallèle. Un **circuit mixte** est la combinaison d'un circuit en série et d'un circuit en parallèle. La figure 15.59 illustre un circuit mixte. Un moteur y est branché en parallèle avec une diode électroluminescente (DEL). Chaque fois que le moteur sera actionné, la DEL s'allumera pour indiquer que le moteur est en marche. Il faut cependant protéger la DEL contre une tension électrique trop élevée. Pour abaisser la valeur de la tension qui alimente la DEL, on branche un résistor (résistance pure) en série avec la DEL.

On fabrique ce circuit en effectuant les raccordements suivants :

a) la source + ① au fusible ② ;

b) le fusible ③ à l'interrupteur ④ ;

c) l'interrupteur ⑤ au résistor ⑥ ;

d) une borne du moteur ⑩ vient aussi
 se brancher au point ⑥ ;

e) le résistor ⑦ à la borne + de la DEL ⑧ ;

f) la borne − de la DEL ⑨ vient rejoindre
 un point commun de branchement ⑫ ;

g) la seconde borne du moteur ⑪
 se branche aussi en ⑫ ;

h) le point commun ⑫ à la source − ⑬.

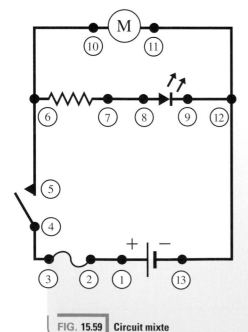

FIG. **15.59** Circuit mixte

Le branchement des composants d'un circuit

Il existe plusieurs méthodes pour brancher les divers composants d'un circuit, selon le but visé. On peut faire un branchement temporaire, pour effectuer un essai, ou permanent, pour fabriquer un appareil. Les divers branchements possibles sont les suivants :

• le branchement avec les pinces alligator ou crocodile (branchement temporaire) (voir la figure 15.60) ;

• le branchement avec fil et **contacteur à vis** (branchement permanent mais démontable). On peut relier les divers composants qui constituent un montage électrique en utilisant des fils et des contacteurs à vis de différents calibres. Il suffit d'insérer les fils préalablement dénudés dans les bornes du contacteur et de les visser en place. Ils sont alors maintenus par pression (voir la figure 15.61) ;

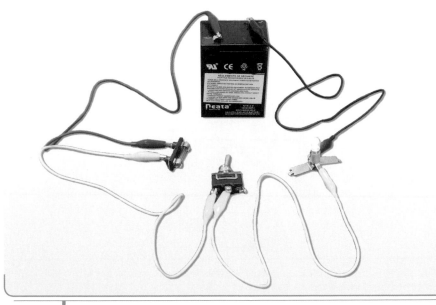

FIG. **15.60** Circuit simple branché avec des pinces alligator

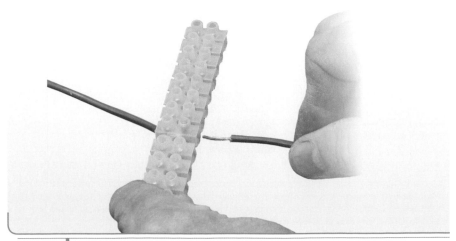

FIG. **15.61** Insertion du fil dénudé dans une des bornes du contacteur à vis

Le rallye des soudures

Cet atelier vous permettra d'effectuer les branchements permanents d'un circuit de base en vous basant sur le schéma théorique de ce circuit. Il vous familiarisera avec les techniques de soudures à l'étain puisque vous utiliserez un fer à souder électrique. ■

★★   DÉFI

Le circuit de contrôle

Au moment de la fabrication d'un objet technologique, on imagine souvent un système de contrôle pour inverser la rotation d'un moteur.

1. Quel composant électrique pourrait-on utiliser pour réaliser un tel circuit ?

2. Dessinez un circuit utilisant un composant qui a la capacité d'inverser le sens de rotation d'un moteur fonctionnant au CC. ■

• le branchement avec fils et soudure (branchement permanent). Lorsqu'on veut relier les dispositifs de contrôle, les mécanismes de protection ou les résistances à des fils pour réaliser un circuit, on peut les souder à ces fils (voir les figures 15.62 à 15.64).

FIG. 15.62 On enlève la gaine isolante du fil avec une pince à dénuder.

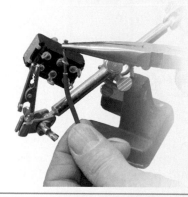

FIG. 15.63 On insère le fil dénudé dans la borne de branchement du composant à relier, puis on le bloque en place à l'aide d'une pince pointue.

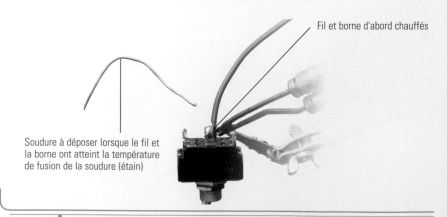

Fil et borne d'abord chauffés

Soudure à déposer lorsque le fil et la borne ont atteint la température de fusion de la soudure (étain)

FIG. 15.64 Pour souder le fil sur la borne, il faut d'abord chauffer ces deux éléments, mais pas la soudure. Lorsque le fil et la borne ont atteint la température de fusion de la soudure, on y dépose la soudure. Celle-ci fond alors et se répand sur les parties à souder.

LES AUTRES COMPOSANTS ÉLECTRIQUES

7.1 Les semi-conducteurs

Les **semi-conducteurs** sont des composants faits d'un matériau qui permet aux électrons de ne circuler que dans un sens. Les matériaux utilisés se comportent un peu comme la porte à ressort d'une sortie d'urgence ; munie d'un ressort de rappel, une telle porte permet de sortir d'un bâtiment, mais en interdit l'accès. Un semi-conducteur comme le silicium a une résistance plus grande qu'un conducteur métallique, mais plus faible qu'un isolant électrique. Lorsqu'on combine le silicium avec le phosphore, le bore ou d'autres éléments chimiques (dopage par ajout d'impuretés), le silicium devient capable de laisser passer les électrons plus facilement. C'est avec ce genre de matériaux que l'on fabrique les diodes, les transistors, les circuits intégrés, etc. L'ajout d'impuretés aux réseaux d'atomes de silicium conduit à la formation de certains types de semi-conducteurs :

* semi-conducteur de type P : le mélange silicium-bore (dopage P) constitue une substance en manque d'électrons dû au fait que l'atome de bore (**trivalent**) capte un électron de l'atome de silicium (**tétravalent**) ; on dit que le semi-conducteur est de type P ou positif. La **valence** d'un élément est le nombre maximal d'atomes d'hydrogène avec lesquels peut se combiner un atome de cet élément ou auxquels il peut se substituer ;

* semi-conducteur de type N : le mélange silicium-phosphore (dopage N) constitue une substance où il y a un surplus d'électrons dû au fait que le phosphore (**pentavalent**) laisse aller un électron libre ; on dit que le semi-conducteur est de type N ou négatif.

Pour fabriquer des semi-conducteurs, il suffit de juxtaposer deux ou plusieurs couches de ces mélanges selon un ordre bien particulier.

La diode

La **diode** autorise le passage du courant dans un seul sens. Elle permet d'obtenir un courant continu à partir d'une source de courant alternatif. En plaçant côte à côte un semi-conducteur de type P et un semi-conducteur de type N, on obtient une diode. Dans un semi-conducteur, c'est la jonction PN ou NP qui est importante : c'est elle qui commande le passage du courant selon la tension qui lui est appliquée (voir la figure 15.65).

Symbole d'une diode.
Il est à noter que la codification + et − de cette pièce est en sens conventionnel puisqu'il s'agit d'un composant réel.

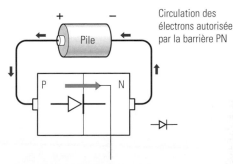

Circulation des électrons autorisée par la barrière PN

Sens de déplacement des électrons à travers la barrière PN de la diode (sens conventionnel)

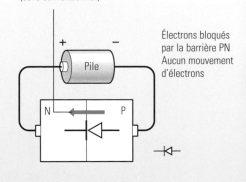

Électrons bloqués par la barrière PN
Aucun mouvement d'électrons

FIG. 15.65 | **Fonctionnement d'une diode**
Attention : l'explication illustrée ci-dessus est donnée selon le sens conventionnel (du + vers le −). Tous les symboles de diode sont donc tracés selon ce sens.

Il existe une multitude de diodes différentes, selon l'usage et la puissance requise. La plus connue est sans doute la diode électroluminescente (DEL), déjà abordée dans ce chapitre. Non seulement celle-ci permet-elle le passage des électrons dans un seul sens, mais elle émet aussi de la lumière lorsqu'un courant la traverse. On utilise abondamment la diode en électronique, notamment pour redresser le courant alternatif et le rendre continu par un pont diode (voir la figure 15.66). On l'emploie aussi comme détecteur d'ondes dans les récepteurs radio.

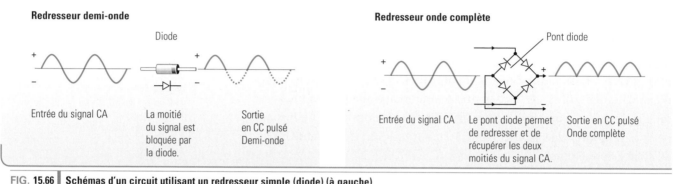

Redresseur demi-onde

Diode

Entrée du signal CA

La moitié du signal est bloquée par la diode.

Sortie en CC pulsé Demi-onde

Redresseur onde complète

Pont diode

Entrée du signal CA

Le pont diode permet de redresser et de récupérer les deux moitiés du signal CA.

Sortie en CC pulsé Onde complète

FIG. 15.66 Schémas d'un circuit utilisant un redresseur simple (diode) (à gauche) et d'un pont diode (à droite) pour transformer le CA en CC.

Le transistor

Si, au lieu de juxtaposer seulement deux couches des mélanges de silicium (types de semi-conducteurs N et P), on place plutôt trois couches côte à côte, on obtient un **transistor**. On peut coller les couches selon deux configurations différentes, de telle sorte qu'on obtient deux catégories de transistors : les NPN et les PNP (voir les figures 15.67 et 15.68). Un transistor est constitué d'une base (B), d'un émetteur (E) et d'un collecteur (C). Ce dispositif sert à la fois à amplifier et à interrompre le courant. Il est donc particulièrement utile dans les amplificateurs de chaîne audio, comme le montre la figure 15.69, à la page suivante.

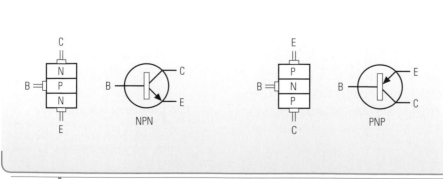

FIG. 15.67 Les deux types de transistors et les symboles utilisés pour les représenter

FIG. 15.68 Quelques types de transistors parmi les plus utilisés

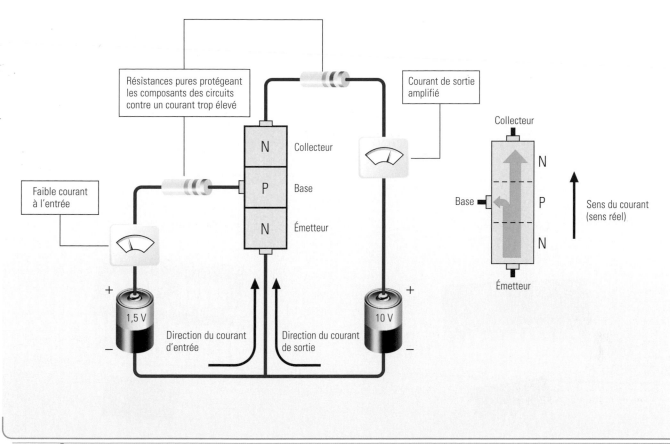

FIG. 15.69 **Schéma illustrant le fonctionnement d'un transistor NPN pour amplifier un faible courant**
Direction du courant en sens réel (sens électronique)

Les relais électroniques

Certains semi-conducteurs ont la même fonction que le relais, soit de contrôler à distance des courants plus ou moins élevés. Un des problèmes liés au relais, c'est qu'il comprend des pièces mécaniques mobiles (les divers contacts, les ressorts, etc.) qui s'usent, pour finalement se briser. Les **relais électroniques** ne comportent aucune pièce mobile. Ils sont donc plus fiables et leur durée est presque illimitée.

Il existe deux types de relais électroniques utilisant les semi-conducteurs :

- le SCR (*silicone controlled rectifier*), utilisé avec le courant continu, est un semi-conducteur à quatre couches, soit PNPN ;

- le TRIAC (*triode for alternating current*) est l'équivalent de deux SCR branchés en parallèle en sens inverse ; de plus, les deux bases sont connectées ensemble. Il peut s'utiliser aussi bien avec le courant continu qu'avec le courant alternatif. C'est un semi-conducteur à cinq couches, soit NPNPN.

Les circuits intégrés

En superposant des dizaines et même des centaines de couches de semi-conducteurs de type N et de type P, on arrive à fabriquer des composants qui contiennent, à eux seuls, plusieurs pièces différentes. Ce sont les **circuits intégrés** ou IC (*integrated circuit*), utilisés dans tous les appareils électroniques modernes. Leur petite taille et leur fiabilité ont rendu possible la miniaturisation des appareils électroniques (voir la figure 15.70).

Circuits intégrés   **Supports**

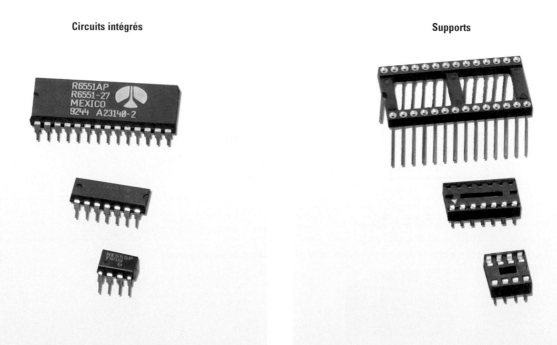

FIG. 15.70 | **Divers types de circuits intégrés et leurs supports**

7.2 Les condensateurs

Les **condensateurs** sont des composants se trouvant dans presque tous les circuits électroniques. Ce sont des accumulateurs à électrons temporaires. Si l'on branche à une source deux plaques de métal séparées par un isolant (comme de l'air ou du plastique), on s'aperçoit que les plaques accumulent des charges électriques (voir la figure 15.71). Ainsi, une pile de 1,5 V peut transmettre une charge de 1,5 V aux plaques de ce condensateur. Si on enlève la source et que l'on branche les plaques du condensateur sur une lumière, par exemple, celle-ci s'allumera brièvement, alimentée par le condensateur. Le symbole d'un condensateur est présenté à la figure 15.72.

Ces composants sont particulièrement utiles pour réguler le courant. Combinés avec des diodes, ils se retrouvent notamment dans les **adaptateurs** qui permettent de transformer le courant alternatif du secteur (120 V) en courant continu (3, 6, 9, 12 V) qui alimente nos petits appareils. La figure 15.73 présente divers condensateurs d'usage courant.

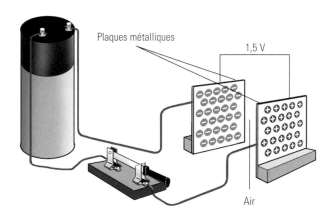

Plaques métalliques

1,5 V

Air

FIG. 15.71 Un condensateur branché à une pile de 1,5 V accumulera une charge identique à la tension de la pile.

FIG. 15.72 Symbole du condensateur

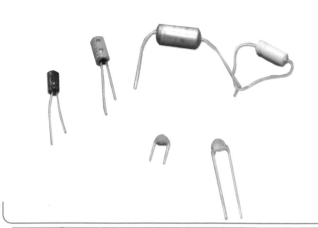

FIG. 15.73 Divers types de condensateurs

1

L'ORIGINE DE L'ÉLECTRICITÉ ET LES SOURCES D'ÉLECTRICITÉ

ST **ATS**

ST **ATS**

1. Nommez les deux types d'électricité, en précisant lequel est considéré comme utile et lequel comme nuisible.

2. Quelle est la principale différence entre le courant continu (CC) et le courant alternatif (CA) ?

3. Nommez les modes de production d'électricité représentés par les illustrations ci-dessous.

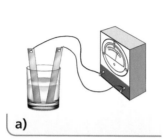

a)

c)

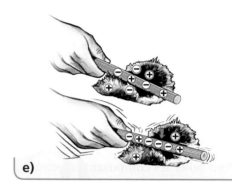

e)

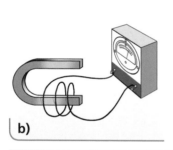

b)

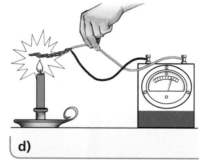

d)

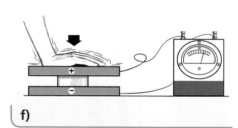

f)

4. Complétez la phrase suivante.

Pour produire de l'électricité par   , il doit y avoir un mouvement   entre le   et le   .

5. Dessinez les symboles d'une source de courant continu (CC) et d'une source de courant alternatif (CA).

② LE CONDUCTEUR, L'ISOLANT ET LES FILS ST ATS

ST
ATS
6. Nommez chacun des types de fils de l'illustration ci-dessous,
en donnant un exemple de son utilisation.

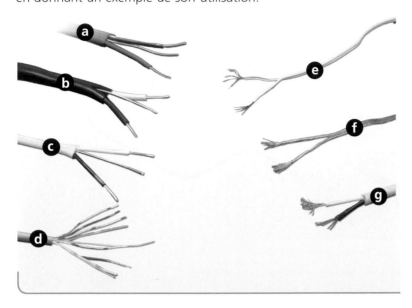

③ LES RÉSISTANCES ST STE ATS

ST
ATS
7. Dans l'illustration ci-dessous, nommez les principaux composants
d'une ampoule incandescente et expliquez le mode de fonctionnement de cette ampoule.

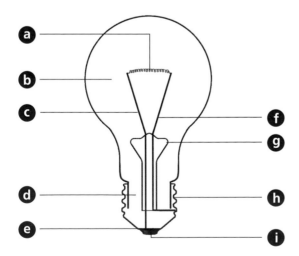

ST **ATS** **8.** Sur le dessin ci-dessous, indiquez par des flèches le trajet emprunté par les électrons dans un moteur en série (moteur universel).

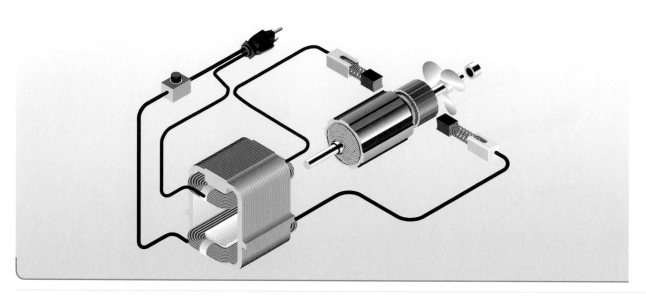

9. Dans le cas de chaque groupe de spécifications ci-dessous, donnez la tension de sortie au bobinage secondaire d'un transformateur.

	TENSION D'ENTRÉE AU PRIMAIRE (V)	NOMBRE DE SPIRES AU PRIMAIRE	NOMBRE DE SPIRES AU SECONDAIRE	TENSION DE SORTIE AU SECONDAIRE (V)
a)	12	100	1000	
b)	120	240	40	
c)	12	132	1188	
d)	550	2200	880	

10. Quel type de courant doit-on obligatoirement utiliser avec un transformateur ?

11. En vous basant sur la figure 15.38, trouvez la valeur des résistances pures correspondant aux couleurs ci-dessous.

	1re BANDE	2e BANDE	3e BANDE	4e BANDE	VALEUR (Ω)
a)	Orange	Noir	Brun	Incolore	
b)	Bleu	Noir	Noir	Or	
c)	Gris	Vert	Orange	Argent	
d)	Brun	Jaune	Rouge	Incolore	
e)	Vert	Rouge	Bleu	Argent	

④ LES SYSTÈMES DE CONTRÔLE

12. Définissez ce qu'est un système de contrôle.

13. Dessinez les symboles des mécanismes de contrôle décrits ci-dessous.

    a) Interrupteur unipolaire à une position (SPST).

    b) Commutateur unipolaire à deux positions (SPDT).

    c) Sélecteur multiposition.

    d) Relais unipolaire à double position (SPDT).

⑤ LES DISPOSITIFS DE PROTECTION

14. Dessinez le schéma de principe d'un disjoncteur mécanique et expliquez son mode de fonctionnement.

15. Quel est le principal avantage du disjoncteur par rapport au fusible ?

6 LES CIRCUITS ÉLECTRIQUES

ST **ATS** **16.** Dessinez les schémas électriques des circuits décrits ci-dessous en intégrant les composants spécifiés.

a) Circuit simple incluant une source CC, un fusible, un interrupteur SPST et une lumière.

b) Circuit de deux lumières en série incluant une source CC, un fusible, un interrupteur SPST et des lumières.

7 LES AUTRES COMPOSANTS ÉLECTRIQUES

STE **ATS** **17.** Nommez une utilisation du transistor et donnez-en un exemple.

18. Nommez une utilisation de la diode et donnez-en un exemple.

19. a) Nommez deux semi-conducteurs qui peuvent avantageusement remplacer les relais.

b) Quel est l'avantage de ces composants par rapport à un relais ?

8 LE BRANCHEMENT DES COMPOSANTS

STE **ATS** **20.** Nommez chaque type de branchement illustré ci-dessous.

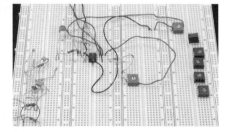

a)   b)   c)

21. Nommez les cinq types de composants d'un circuit électrique
et donnez un exemple pour chacun.

22. Donnez le nom des sens de déplacement du courant électrique
illustrés ci-dessous. Dans chaque cas, précisez l'origine du sens
de déplacement et ses diverses particularités.

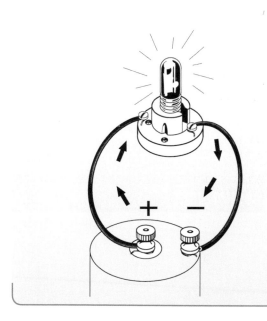 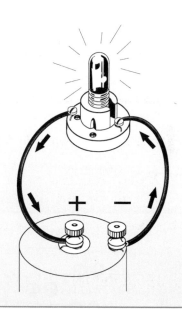

23. Nommez cinq types de résistances et dessinez le symbole
de chacun.

24. Dessinez les schémas électriques des circuits décrits ci-dessous
en intégrant les composants spécifiés.

   a) Circuit de deux lumières en parallèle incluant une source CC,
   un fusible, un interrupteur SPST et des lumières.

   b) Circuit mixte d'un moteur et d'un indicateur lumineux à DEL
   incluant une source CC, un fusible, un interrupteur SPST,
   une résistance pure, une DEL et un moteur.

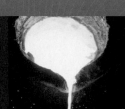

Le développement des technologies et de la science ainsi que la réflexion des ingénieurs et ingénieures et des scientifiques ont permis de créer de nouveaux matériaux à partir de ce que nous avions déjà autour de nous. Ainsi, de nos jours, nous disposons de milliers de matériaux différents, chacun possédant des propriétés uniques.

Une grande proportion des objets du quotidien est principalement constituée de deux types de matériaux, nommés matériaux de base: le bois et le métal. À ceux-ci s'ajoutent d'autres catégories de matériaux, comme les plastiques, les matériaux composites et les céramiques, découverts plus récemment et utilisés pour fabriquer des produits très performants.

Les matériaux composites ont été développés au cours de la seconde moitié du 20e siècle et ont vite trouvé des applications dans l'industrie aérospatiale, comme cet appareil, le *White Knight*, qui peut monter à une altitude de 100 km.

TABLE DES MATIÈRES

LABORATOIRES

1 DE NOUVEAUX MATÉRIAUX EXTRAORDINAIRES

Parmi les nouveaux matériaux s'ajoutant aux matériaux de base, on recense les plastiques, les matériaux composites et les céramiques. Chacune de ces catégories possède des caractéristiques qui lui sont propres.

1.1 Les plastiques

On peut classifier les plastiques en deux catégories : les **thermoplastiques** et les **thermodurcissables**. La figure 16.1 présente les divers types de plastiques associés à chacune de ces catégories.

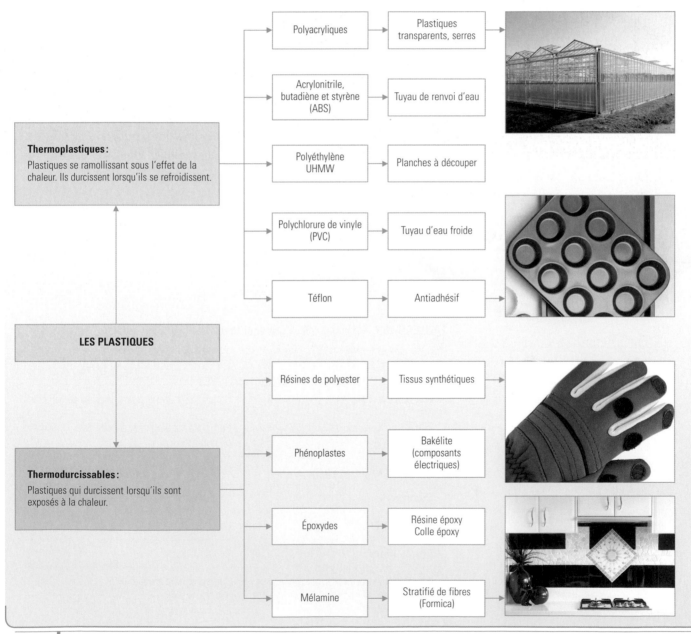

FIG. 16.1 | **Les plastiques**

1.2 Les matériaux composites

D'une manière générale, les caractéristiques d'un composite sont les suivantes :

- Un matériau composite est constitué d'au moins deux composants distincts ;

- Les divers composants de ce matériau restent séparés l'un de l'autre (mélanges hétérogènes) ;

- Ces composants ont cependant une grande capacité à se coller ensemble (capacité d'adhésion) ;

- Les propriétés du matériau composite diffèrent de celles des éléments constituants pris séparément et leur sont habituellement supérieures.

Au sens strict du terme, le bois est considéré comme le premier matériau composite utilisé par les êtres humains. En effet, le bois se compose de fibres de cellulose retenues ensemble par la lignine, une sorte de colle naturelle que produit l'arbre (voir la figure 16.2). Toutefois, si l'on se réfère à la technologie moderne, un matériau composite est généralement défini comme étant un plastique renforcé de fibres. Le tableau 16.1 présente quelques matériaux composites.

FIG. 16.2 **Le bois, premier matériau composite d'origine naturelle utilisé par les êtres humains.**

Il est constitué de fibres de cellulose (le renfort) imprégnées de lignine (la matrice) produite par l'arbre.

TABLEAU 16.1 Matériaux composites et quelques exemples d'utilisation

MATÉRIAU COMPOSITE	EXEMPLE D'UTILISATION
Fibre de verre	Coques de bateaux, carrosseries de véhicules
Fibre de carbone	Composants d'avions, pièces pour véhicules de compétition
Fibre d'aramide (kevlar)	Gilet pare-balles, pneus de bicyclettes
Contreplaqué	Menuiserie, construction, ébénisterie
Placoplâtre	Construction
Béton armé	Construction
Glare (aluminium et fibre de verre)	Composants d'avions

Les matériaux composites modernes sont constitués de deux éléments :

- **Les renforts** : ce sont des fibres de tous genres qui servent d'ossature ou de support au matériau. Ces fibres peuvent être droites ou tissées, selon les caractéristiques recherchées.

EXEMPLES :

les fibres de bois, les toiles de fibres de verre, les tissus synthétiques, les toiles de fibres de carbone, le kevlar.

- **Les matrices** : ce sont généralement des résines synthétiques dont sont enduits les renforts et qui servent à leur transmettre les charges.

EXEMPLES :

les résines polyesters insaturées, les résines vinylesters, les résines polyépoxydes (l'époxy), les résines phénoliques, les résines polyimides.

La fibre de verre (matrice de résine polyester renforcée de fibres de verre)

La fibre de verre est l'un des matériaux composites les plus utilisés actuellement. Elle s'emploie notamment pour remplacer les balcons en bois des habitations ou des bâtiments à caractère commercial. Ses avantages, lorsqu'elle est utilisée à l'extérieur, sont sa résistance aux intempéries et aux rayons ultraviolets, son imperméabilité et sa facilité d'entretien. La fibre de verre sert aussi à l'isolation des bâtiments grâce à son dérivé, la laine de verre, qui a remplacé l'amiante. Elle est aussi employée pour réaliser des formes irrégulières comme des coques de bateaux, ou encore des composants de carrosserie de voiture, des porte-bagages ou des contenants ayant des formes particulières (voir la figure 16.3).

Cône de carton mince recouvert de fibre de verre enduite de résine de polyester catalysée

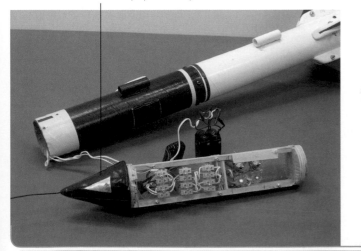

FIG. 16.3 **Fusée expérimentale fabriquée par des élèves dans le cadre d'un projet technologique.** Le cône est fait de carton souple recouvert de fibre de verre enduite de résine de polyester catalysée. La fusée transporte une caméra vidéo miniature.

Ce matériau composite est constitué d'un renfort fait d'une toile de fibres de verre enduites de résine polyester catalysée, la matrice. Pour durcir, la résine a besoin d'un réactif ou **catalyseur** (voir la figure 16.4).

Extrêmement irritante, la fibre de verre peut causer des irritations aux yeux, au nez et à la gorge. C'est pourquoi il est important de respecter les consignes de sécurité suivantes lorsqu'on manipule un tel produit (voir la figure 16.5):

- Porter des lunettes de sécurité et un masque;

- Porter un vêtement de protection long (sarrau de laboratoire) et des gants pendant la préparation, puis l'application de la résine et de la toile de fibre de verre;

- Éviter de porter ses doigts au visage avant d'avoir terminé le travail;

- Nettoyer les surfaces accidentellement couvertes (y compris la peau) ou les outils avec de l'acétone;

- Laver les mains et la peau exposée (préalablement nettoyée à l'acétone) avec de l'eau et du savon, à la fin du travail.

La réaction chimique que l'on appelle polymérisation dégage une chaleur qui dépend de la quantité de catalyseur utilisé. Les risques d'autocombustion sont réels. Il faut donc respecter les proportions de catalyseur suggérées et surveiller le dégagement de chaleur pendant la polymérisation. De plus, il faut éloigner cette source de chaleur éventuelle du contenant d'acétone, qui est un produit très inflammable. Les étapes de la manipulation de la fibre de verre sont développées à la figure 16.6.

Toile de fibres de verre non alignées   Résine polyester (à catalyser)   Réactif (catalyseur)   Toile de fibres de verre tissées

FIG. **16.4** | **Composants de base de la fibre de verre**

FIG. **16.5** | **Lunettes et gants sont indispensables pour tout travail avec la fibre de verre.**

Fibre de verre grossie trois fois.

Versez dans la résine la quantité de catalyseur préalablement calculée, à partir du poids de résine à catalyser et des proportions recommandées des deux constituants.

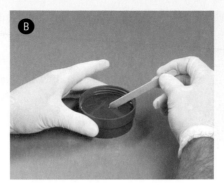

Mélangez.

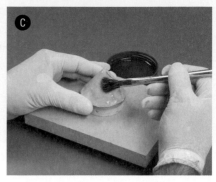

Appliquez la résine catalysée sur la pièce.

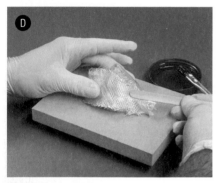

Placez la toile de fibre de verre sur la pièce déjà enduite de résine catalysée.

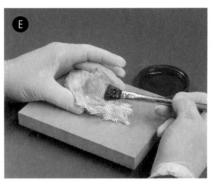

Saturez la toile de résine catalysée tout en essayant d'éliminer le plus possible les bulles d'air entraînées dans la résine, puis laissez sécher.

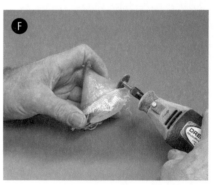

Enlevez l'excédent de toile avec un outil de coupe rapide et un disque à couper.

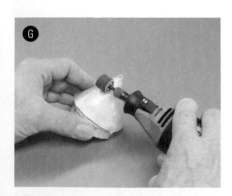

Utilisez le même outil avec un disque à poncer pour supprimer les irrégularités.

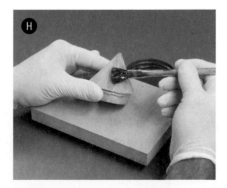

Appliquez une couche de résine catalysée.

Laissez sécher. Au besoin, répétez les étapes G à I afin d'appliquer des couches supplémentaires. Les meilleurs résultats s'obtiennent avec trois couches ou plus.

FIG. 16.6 **La fibre de verre se prête particulièrement bien à la réalisation de projets technologiques.**
Pour recouvrir une surface avec de la fibre de verre et une résine polyester, suivez les étapes illustrées ci-dessus.

FIG. 16.7 **Toile de fibres de carbone enduite d'une résine.**
Il faut la chauffer à 1500 °C pour qu'elle acquière ses propriétés.

Nid d'abeille en fibre de verre recouvert d'une couche de fibre de carbone

Plaque de fibre de carbone de 2 mm d'épaisseur

Nid d'abeille en fibre de verre

FIG. 16.8 **Composants d'un nid d'abeille et plaque de fibre de carbone**

La fibre de carbone (matrice de résine époxy renforcée de fibres de carbone)

Tout comme la fibre de verre, la fibre de carbone comprend un renfort et une matrice. Dans ce type de matériau composite, le renfort est constitué de fibres de carbone. Quant à la matrice, elle est généralement composée de plastiques thermodurcissables, comme l'époxy.

Les fibres de carbone sont obtenues à partir de fibres de polymères organiques, qui sont transformées en graphite à une température d'environ 1500 °C (voir la figure 16.7).

Dans l'aérospatiale, on emploie souvent les «nids d'abeille» de fibre de verre que l'on recouvre d'une membrane en fibre de carbone. Cela permet de fabriquer de larges structures ultra-résistantes et très légères qu'on utilisera pour les ailes d'un avion ou certaines portions de son fuselage. Les composants des nids d'abeille sont représentés à la figure 16.8.

La fibre de carbone est employée pour des applications qui nécessitent un matériau très léger, mais disposant d'une très grande résistance mécanique. Étant donné son coût élevé, les domaines d'application actuels se limitent à l'aéronautique et à la fabrication de pièces haut de gamme, principalement pour des voitures de course et des véhicules de compétition (voir la figure 16.9).

FIG. 16.9 **Char à voile**
Certaines parties du châssis et du gréement de ces chars à voile sont composées de fibre de carbone.

FIG. **16.10** | *L'empereur*, de Niki de Saint-Phalle
Cette œuvre, *Le jardin des tarots*, est
recouverte, entre autres, de céramiques polychromes.

1.3 Les céramiques (ST) (ATS)

Le mot *céramique*, au sens large, désigne un art qui consiste à fabriquer
des objets en terre cuite. Ces objets sont faits à partir de différentes
poussières de roches et de sol, les argiles, pouvant aisément être modelés
à la forme voulue. Il faut par la suite les cuire à haute température.
Au cours de la cuisson, les argiles acquièrent des propriétés remarquables:
elles deviennent imperméables et **réfractaires** à la chaleur. C'est la raison
pour laquelle les céramiques sont utilisées pour réaliser des poteries, des
tuiles, des objets d'art, etc. On les emploie dans trois principaux secteurs
d'activité, soit:

* La céramique d'art: sculptures, objets décoratifs, etc.
  (voir la figure 16.10);

* La céramique utilitaire: bols, poteries, vases, etc.
  (voir la figure 16.11);

* La céramique industrielle: applications technologiques,
  comme dans la fabrication d'isolateurs électriques,
  de bougies d'allumage, etc. (voir les figures 16.12
  et 16.13, à la page suivante).

FIG. **16.11** | Poterie

Les propriétés des céramiques industrielles

L'industrie a développé plusieurs types de céramiques en fonction des usages requis. Globalement, les céramiques industrielles ont les propriétés suivantes :

- Dureté ;

- Résistance à l'usure ;

- Conservation des propriétés mécaniques à haute température ;

- Faible conductivité thermique (donnant un excellent matériau réfractaire) ;

- Inertie chimique (résistance aux acides et autres produits corrosifs) ;

- **Supraconductivité** (dans certains cas) à température extrêmement basse.

Isolant en céramique

FIG. **16.12** **Bougie d'allumage**

FIG. **16.13** **Isolateurs électriques en céramique dans un poste de distribution**

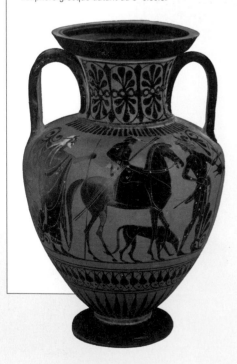

Quelques applications des céramiques industrielles

Il existe une grande variété de céramiques, et chacune s'utilise pour des applications spécifiques:

- Isolateurs électriques oxyde d'aluminium, cordiérite (voir la figure 16.13);

- Échangeurs thermiques: cordiérite;

- Siège de soupapes de véhicule: nitrure de silicium;

- Blindage de chars d'assaut et d'hélicoptères: carbure de bore;

- Résistances (éléments) chauffantes: carbure de silicium, cordiérite (voir la figure 16.14);

- Circuits imprimés: nitrure d'aluminium (voir à la figure 16.15);

- Céramiques de bâtiment (tuiles, briques, carreaux, lavabos): silicate d'aluminium (voir la figure 16.16).

FIG. 16.14 Ce fer plat contient des éléments chauffants en céramique.

FIG. 16.15 Puce de céramique à l'intérieur d'un circuit imprimé

FIG. 16.16 Les lavabos sont généralement fabriqués en céramique.

Quels que soient les types de matériaux employés, ceux-ci ont des propriétés physiques, mécaniques et chimiques qui leur sont propres. Avant de choisir un matériau, il faut en connaître les propriétés afin de s'assurer de ses avantages et de minimiser ses inconvénients. Le tableau 16.2 donne un résumé de ces propriétés.

TABLEAU 16.2 Résumé des propriétés physiques, mécaniques et chimiques des matériaux

PROPRIÉTÉ	DÉFINITION	SCHÉMA-SYMBOLE
Dureté	Résistance aux déformations issues d'une pénétration superficielle ou d'une abrasion	
Malléabilité	Aptitude à se laisser réduire en feuilles sans déchirure	
Élasticité	Capacité de reprendre sa forme initiale lorsque la force agissante cesse	
Résistance mécanique	Résistance à une contrainte mécanique (tension, compression, cisaillement)	
Ductilité	Faculté de s'étirer en fil sans se rompre	
Fragilité	Facilité à casser sans se déformer	
Résistance à la corrosion	Résistance à l'action des fumées industrielles, de sels ou de produits chimiques (acides)	

★★ DÉFI

Le formage des plastiques

Effectuez une recherche afin de trouver deux procédés de formage d'objets fabriqués en plastique (thermoplastique ou thermodurcissable). Expliquez les étapes de réalisation de ces procédés. ▮

③ LES CONTRAINTES ET LES DÉFORMATIONS ST ATS

3.1 Les contraintes ST ATS

Lorsqu'un matériau subit une force ou une charge extérieure, il a tendance à réagir. Cela provoque un changement des forces intérieures naturellement présentes dans le matériau. Chacune des parties constituantes du matériau se déplace, se déforme et résiste aux forces extérieures qui lui sont appliquées. Le matériau subit alors une ou plusieurs contraintes. Une contrainte est la force de chargement (ou charge) appliquée localement sur un matériau, et ce, par rapport à la surface sur laquelle cette force est appliquée :

> CONTRAINTE = FORCE / SURFACE

Il existe trois grandes catégories de contraintes (voir la figure 16.17) :

- **La tension.** Quand une force cherche à séparer les composants du matériau, celui-ci est soumis à un effort de tension. Un ventilateur fixé au plafond, par exemple, subit une contrainte en tension.

- **La compression.** Lorsqu'une poutre maintient un plafond, elle est soumise à un effort qui cherche à l'écraser. Elle subit donc une contrainte en compression.

- **Le cisaillement.** Un rivet (ou une vis) retenant deux pièces de métal est soumis à un effort qui cherche à le couper. Il subit donc une contrainte en cisaillement.

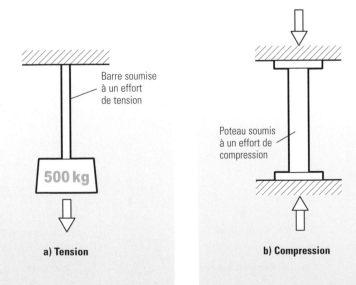

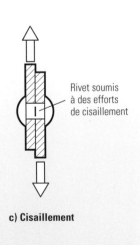

a) Tension   b) Compression   c) Cisaillement

FIG. 16.17   Les trois types de contraintes

Une même pièce peut subir en même temps des contraintes de tension, de compression et de cisaillement. Une poutre appuyée à ses deux extrémités en est un bel exemple (voir la figure 16.18). Le dessous de la poutre est soumis à un effort de tension et le dessus à un effort de compression. Quant aux deux extrémités, où la pièce est supportée, elles sont soumises à un effort de cisaillement.

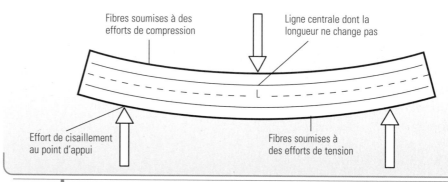

Fibres soumises à des efforts de compression

Ligne centrale dont la longueur ne change pas

Effort de cisaillement au point d'appui

Fibres soumises à des efforts de tension

FIG. 16.18 Les trois types de contraintes agissant simultanément sur une même pièce.

LABORATOIRE

16.1 : Évaluation d'un matériau composite

Buts : confectionner divers matériaux composites à l'aide de styromousse et de différentes sortes de ruban adhésif, puis évaluer leur flexion. ▌

16.2 : Déformation du bois

But : mesurer la déformation en flexion de différentes essences de bois soumises à des contraintes de poids. ▌

3.2 Les déformations

Lorsqu'un matériau est soumis à une contrainte, il a tendance à se déformer selon la direction de la force qui lui est appliquée (voir la figure 16.19). S'il est soumis à une contrainte en tension, il y a allongement. S'il est soumis à une contrainte en compression, il y a raccourcissement. S'il est soumis à une contrainte de tension ou de compression entre les appuis, il y a flexion. La flexion se définit comme étant la déformation mesurée sur une poutre supportée par des appuis.

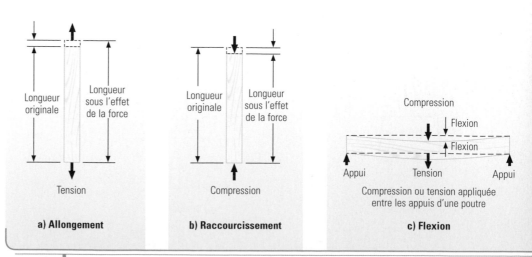

Longueur originale — Longueur sous l'effet de la force — Tension

a) Allongement

Longueur originale — Longueur sous l'effet de la force — Compression

b) Raccourcissement

Compression — Flexion — Flexion — Appui — Tension — Appui

Compression ou tension appliquée entre les appuis d'une poutre

c) Flexion

FIG. 16.19 Les trois types de déformations produites par les contraintes de tension et de compression.

4 LES TRAITEMENTS THERMIQUES STE ATS

Un traitement thermique consiste en un ou plusieurs chauffages d'un matériau donné, suivis d'un refroidissement plus ou moins rapide. Le domaine de la métallurgie utilise fréquemment ce procédé. Appliqué aux **alliages**, il a pour but de modifier leurs propriétés en changeant la structure atomique des métaux qui les constituent.

En métallurgie, on distingue deux grandes catégories de traitements thermiques : le traitement d'équilibre et le traitement hors d'équilibre.

Le traitement d'équilibre

Le traitement d'équilibre sert à augmenter la stabilité de la disposition des atomes d'un alliage (c'est-à-dire sa structure atomique) déjà doté de propriétés précises. Il s'obtient par le biais de deux procédés :

* **L'homogénéisation** : chauffage d'un **lingot** de l'alliage, pour éliminer les microfissures à l'intérieur de sa structure atomique ;

* **Le recuit** : chauffage de l'alliage, suivi d'un lent refroidissement, au four, afin d'obtenir la structure souhaitée (voir la figure 16.20).

Le traitement hors d'équilibre

À l'inverse du traitement décrit ci-dessus, le traitement hors d'équilibre sert à changer la disposition des différents atomes constituant le réseau cristallin d'un alliage, afin d'en modifier les propriétés (voir la figure 16.21). Il s'obtient par le biais de deux procédés :

* **La trempe** : chauffage de l'alliage à une température donnée, pour modifier sa structure cristalline, puis refroidissement plus ou moins rapide par son plongeon dans un liquide, afin de figer cette structure. La trempe modifie les propriétés mécaniques des alliages, notamment en augmentant leur dureté. Cette augmentation de la dureté se fait souvent au prix d'une baisse de la résistance à l'impact.

* **Le revenu** : nouveau chauffage du matériau venant de subir une trempe, à température beaucoup plus basse, puis refroidissement à l'air libre. Cela a pour effet de transformer la structure de trempe, qui est fragile, en une structure plus résistante à l'impact. Cette opération diminue souvent la dureté obtenue par la trempe. La trempe suivie d'un revenu permet d'obtenir un compromis acceptable entre la dureté et la résistance à l'impact qui correspond aux conditions d'utilisation de la pièce ainsi traitée.

FIG. 16.20 | **Recuit d'un semiconducteur**

FIG. 16.21 | **Travail du métal**
Lorsque le forgeron plonge dans un bac d'eau le métal rougi qu'il vient de travailler, il fait subir une trempe à cet alliage. Le forgeron le chauffera à nouveau, dans les braises ardentes, pour procéder au revenu.

⑤ LA DÉGRADATION ET LA PROTECTION DES MATÉRIAUX

Presque tous les matériaux utilisés pour fabriquer les divers objets dont nous nous servons subissent, au fil du temps, une modification de leurs propriétés. Bref, les matériaux se dégradent, plus ou moins rapidement. C'est pour cela que l'industrie moderne a mis au point toute une panoplie de produits et de procédés visant à protéger les matériaux contre les différents facteurs à l'origine de la dégradation.

5.1 La dégradation des matériaux ST ATS

Les principaux facteurs responsables de la dégradation des matériaux sont l'air, l'eau, la lumière, les produits en suspension dans l'air, les précipitations acides et les micro-organismes (bactéries, moisissures, etc.).

Les phénomènes qui contribuent à la dégradation des matériaux sont :

- **L'oxydation** : réaction chimique de l'oxygène avec les métaux. L'exemple le plus connu d'oxydation est la formation de la rouille. En réagissant avec l'oxygène, le fer et l'acier produisent de l'oxyde de fer, plus connu sous le nom de rouille. Au fil du temps, la rouille s'installe en surface et provoque la dégradation du métal (voir la figure 16.22).

FIG. 16.22 Bateau et voiture en cours d'oxydation

- **La corrosion** : réaction chimique de différents produits qui entrent en contact avec les matériaux. La corrosion dégrade la surface des matériaux. Petit à petit, les matériaux ainsi affectés perdent leurs propriétés. Par exemple, les précipitations acides endommagent la pierre et le bronze des bâtiments et des statues (voir la figure 16.23). Le calcium répandu sur les routes et les trottoirs, en hiver, dégrade le béton et l'asphalte, mais aussi l'acier et l'aluminium des véhicules qui circulent. Même les chaussures des piétons marchant sur les trottoirs sont affectées.

- **La décoloration** : résultat de la réaction chimique provoquée par les rayons ultraviolets (UV) de la lumière solaire, une réaction qui altère les molécules de surface seulement. La couleur des peintures, des tissus et de certains polymères changent au fil du temps. Par exemple, sous l'effet des UV, le bois change de couleur et a tendance à jaunir (voir la figure 16.24).

- **Le pourrissement** : résultat de l'action de champignons microscopiques qui attaquent généralement la lignine contenue dans le bois (voir la figure 16.25). Un taux d'humidité élevé favorise le pourrissement. En plus de faciliter la prolifération des champignons, l'humidité accélère la réaction chimique qu'ils provoquent. Certaines essences de bois sont moins vulnérables au pourrissement, notamment les conifères, qui contiennent une résine naturelle les protégeant partiellement de l'attaque de ces organismes.

FIG. **16.23** Statue de pierre érodée par les précipitations acides.

FIG. **16.24** Décoloration d'une porte de bois sous l'effet des UV

FIG. **16.25** Maison de bois sous l'effet du pourrissement

★ DÉFI

Le recyclage des matériaux

Dans votre entourage immédiat, trouvez au moins 10 produits faits de matériaux différents que vous utilisez couramment. Collez un échantillon de chacun de ces produits sur un carton et expliquez de quel type de matériau il est constitué. Précisez ensuite quelle ressource naturelle est sauvegardée lorsqu'on recycle ces produits. ∎

5.2 La protection des matériaux

Grâce aux avancées technologiques, différentes méthodes ont été développées pour protéger les divers types de matériaux des phénomènes décrits dans la section précédente. La plus courante consiste en l'application d'un produit de protection sur les surfaces exposées à la dégradation.

On peut appliquer:

- de la teinture, sur les bois et les matériaux fibreux;

- de la peinture, sur tous les types de matériaux;

- du vernis, sur tous les types de matériaux (voir la figure 16.26);

- du plastique projeté, sur tous les types de matériaux.

On peut aussi avoir recours à des traitements chimiques. Il suffit de combiner différents matériaux de telle sorte que l'un protège l'autre. Un exemple de tels traitements est la galvanisation, procédé par lequel on recouvre l'acier de zinc. En contact avec l'air et l'eau, le zinc réagit et développe une «pellicule» protégeant l'acier (voir la figure 16.27). Les aciers inoxydables, qui contiennent du nickel et du chrome, sont protégés par une couche d'oxyde de chrome qui se forme rapidement en surface et qui est non poreux et stable dans plusieurs milieux corrosifs. Les alliages d'aluminium sont, de la même façon, protégés par l'oxyde d'aluminium. Ces traitements sont aussi nommés protection électrochimique.

FIG. 16.26 Protection du bois par un vernis (en haut) pour éviter le pourrissement du bois (en bas)

FIG. 16.27 Seaux de métal galvanisé (à gauche) et non galvanisé (à droite), soumis aux conditions de production de la rouille.

EXERCICES

1 DE NOUVEAUX MATÉRIAUX EXTRAORDINAIRES ST ATS

ST ATS 1. Nommez et caractérisez les deux grandes catégories de plastiques.

2. Comment pourrait-on définir simplement ce qu'est un matériau composite ?

3. Quels sont les deux composants de base du bois ?

4. Nommez les deux éléments que l'on retrouve dans tous les types de matériaux composites et décrivez brièvement le rôle de chacun.

5. Quels sont les deux composants du matériau composite appelé fibre de verre ? Indiquez le rôle de chacun de ces composants.

6. Quels sont les deux composants du matériau composite appelé fibre de carbone ? Indiquez le rôle joué par chacun de ces composants.

7. Quels sont les deux matériaux constituant l'argile, à la base des céramiques ?

8. Nommez six propriétés qui rendent les céramiques industrielles si intéressantes.

2 LES PROPRIÉTÉS DES MATÉRIAUX ST ATS

ST ATS 9. Remplissez le tableau ci-dessous.

PROPRIÉTÉ	DÉFINITION	SCHÉMA-SYMBOLE

3 LES CONTRAINTES ET LES DÉFORMATIONS ST ATS

ST ATS 10. Lorsqu'un matériau se déplace, se déforme ou résiste aux forces extérieures qui lui sont appliquées, on dit qu'il subit une contrainte. Exprimez, par une formule mathématique simple, la notion de contrainte.

11. Nommez les trois types de contraintes qui affectent les matériaux et qui sont représentées ci-dessous.

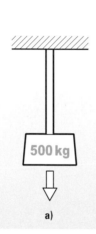

a)

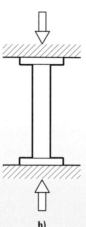

b)

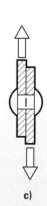

c)

4 LES TRAITEMENTS THERMIQUES STE ATS

STE ATS 12. Nommez les deux grandes catégories de traitements thermiques que l'on fait subir aux alliages de métaux. Dans le cas de chacune, nommez et décrivez brièvement les procédés utilisés.

5 LA DÉGRADATION ET LA PROTECTION DES MATÉRIAUX ST ATS

ST ATS 13. Quels sont les principaux facteurs responsables de la dégradation des matériaux?

14. Nommez quatre phénomènes distincts qui favorisent la dégradation des matériaux.

15. Quelle est la cause de la décoloration des matériaux?

16. Quelle est la cause du pourrissement des bois?

17. Nommez les deux méthodes utilisées pour protéger les matériaux de la dégradation.

ST
ATS **18.** Nommez sept types de matériaux composites et donnez un exemple d'application pour chacun.

19. Nommez les trois principaux secteurs d'activité où l'on emploie des céramiques, en donnant un exemple de produit dans chaque cas.

20. Déterminez quelle contrainte est appliquée à chacune des poutres illustrées ci-dessous et expliquez brièvement la ou les déformations correspondantes.

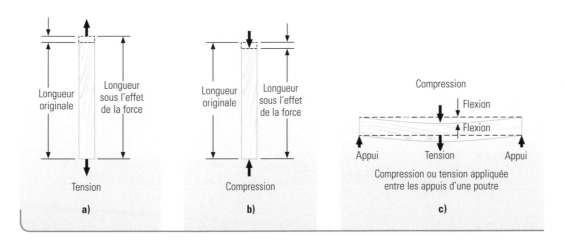

STE
ATS **21.** Nommez le procédé de traitement thermique auquel il faut avoir recours pour :

a) obtenir l'alliage le plus élastique possible ;

b) obtenir l'alliage le plus résistant à l'impact possible ;

c) éliminer toute fissure d'un alliage.

Chapitre 17 STE ATS

Les procédés de fabrication

La fabrication regroupe l'ensemble des opérations nécessaires à la production d'un objet technique. Cette étape n'arrive qu'après les étapes de conception, de schématisation et de choix de matériaux. Elle requiert à la fois des outils, des accessoires, des connaissances et des habiletés pratiques. En effet, sans la connaissance des outils nécessaires pour effectuer un travail et sans la maîtrise des techniques, méthodes et procédés de fabrication, on ne peut rien faire. Le présent chapitre aborde les différentes opérations qui permettent d'aboutir à la fabrication d'un objet technique.

Il faut avoir recours à de nombreux outils et techniques de travail pour réaliser des opérations complexes sur des patients ou patientes. Ici, un chirurgien utilise une scie spéciale pour ouvrir la cage thoracique du patient afin de pratiquer une greffe de cœur.

TABLE DES MATIÈRES

LABORATOIRES

1 LES ÉTAPES DE FABRICATION D'UN OBJET TECHNIQUE

Qu'ils soient faits de bois, de plastique, de métal, de céramique, de composites ou d'une combinaison de ces matériaux, qu'ils intègrent des systèmes mécaniques, électriques ou électroniques, qu'ils soient fabriqués en petite quantité, de façon artisanale, dans de petits ateliers ou dans le cadre d'une production de masse, en usine, les objets techniques subissent, à peu de chose près, les mêmes étapes de fabrication. Seules l'ampleur, la complexité et la vitesse des procédés varient.

Pour pouvoir fabriquer un objet technique, il faut maîtriser les principales étapes de fabrication suivantes :

- la préparation des dessins de fabrication ;
- la planification de fabrication ;
- le mesurage et le traçage ;
- le **débitage** ;
- le façonnage (ou usinage) ;
- le ponçage ;
- l'assemblage ;
- la finition.

Dans le présent chapitre, nous insisterons particulièrement sur le mesurage et le traçage, ainsi que sur diverses étapes du façonnage et de l'assemblage.

★★★ DÉFI

Planifiez la fabrication d'un support pour CD

À partir des dessins en perspective et en projection orthogonale que vous avez réalisés au moment de la conception du support pour CD, au chapitre 13, planifiez les diverses étapes de fabrication de ce support en vous basant sur les procédés décrits dans le présent chapitre. ▌

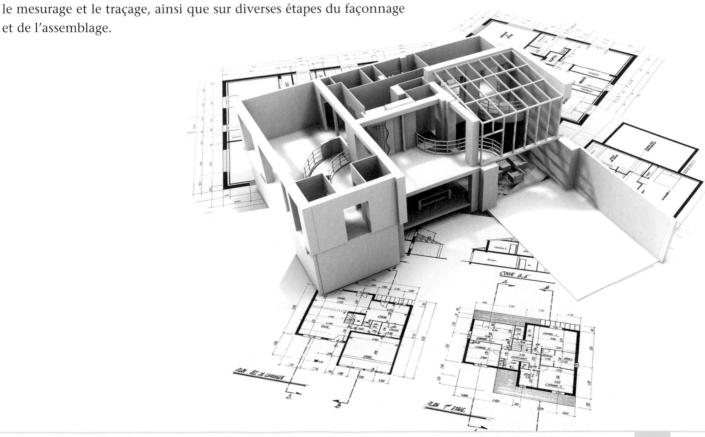

② LE MESURAGE ET LE TRAÇAGE   STE ATS

L'une des premières étapes de fabrication consiste à mesurer les différentes composantes de l'objet, dans les divers matériaux, et de les tracer adéquatement. Un traçage de précision est essentiel, sinon toute la fabrication sera compromise.

Le Canada a adopté en 1972 le Système international d'unités (SI) comme système de mesure officiel. Toute mesure de distance, de surface, de volume ou de poids doit donc utiliser ce système. Toutefois, le secteur de la construction, de la rénovation et de la fabrication se sert encore abondamment du système impérial anglais, jadis en vigueur au Canada. Il est alors important de présenter ces deux systèmes.

Le système des unités de mesure de longueur métriques

Lorsqu'on veut mesurer selon le SI, on utilise une unité de base qui sert d'étalon : le mètre. Comme cette unité est relativement grande, il faut la subdiviser pour atteindre un niveau de précision suffisant pour mesurer un objet donné ou ses composantes (voir la figure 17.1).

Le SI est un système décimal, c'est-à-dire qu'il est divisible par 10, et encore par 10, et ainsi de suite, jusqu'à l'obtention des subdivisions requises.

Pour la plupart des projets techniques, le millimètre offre un niveau de précision suffisant. On pourrait cependant procéder à d'autres subdivisions et obtenir le micromètre, le nanomètre, etc. Ce genre de subdivision est particulièrement utile en biologie lorsqu'il s'agit d'évaluer les dimensions d'organes microscopiques tels que les tissus ou les cellules.

À l'opposé, pour mesurer de très grandes dimensions, il est possible de multiplier le mètre par 10 pour obtenir des unités plus grandes.

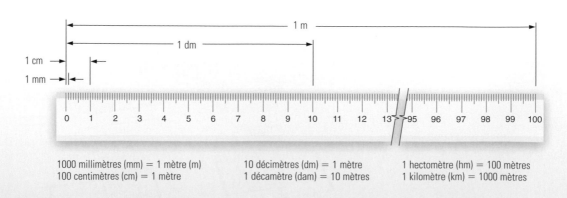

1000 millimètres (mm) = 1 mètre (m)   10 décimètres (dm) = 1 mètre   1 hectomètre (hm) = 100 mètres
100 centimètres (cm) = 1 mètre   1 décamètre (dam) = 10 mètres   1 kilomètre (km) = 1000 mètres

FIG. 17.1 **Les différentes subdivisions du mètre**

Généralement, ce niveau de multiplication est suffisant pour les dimensions terrestres, mais il arrive parfois, notamment en astronautique, que des unités encore plus grandes soient nécessaires, comme le mégamètre, le gigamètre, etc.

Le système des unités de mesure de longueur anglaises

Alors que le système de mesure métrique compte une seule unité de base, le mètre, le système de mesure impérial anglais utilise plusieurs unités différentes, selon les dimensions à mesurer. En construction, rénovation et fabrication, les plus courantes sont les suivantes :

- 1 pouce = 25,4 mm = 2,54 cm

- 1 pied = 12 pouces = 304,8 mm = 30,48 cm

Dans certains cas, comme au football ou au golf, les distances sont indiquées en verges (1 verge = 3 pieds). De plus, si vous voyagez aux États-Unis, vous constaterez que les distances sur les routes sont données en miles (1 mile = 5280 pieds = 1,6 km).

Dans le contexte de la réalisation de projets, afin qu'il soit possible de s'y retrouver dans les dimensions des matériaux et de la quincaillerie, nous nous intéresserons seulement au pouce, la plus petite unité de mesure des distances (voir la figure 17.2). Le système anglais est un système fractionnaire en base 1/2, c'est-à-dire que chaque subdivision est multipliée par la fraction 1/2.

Généralement, ce niveau de précision est suffisant pour réaliser des projets techniques. Quelquefois, notamment en ébénisterie, il faut utiliser deux autres subdivisions : 1/32 de pouce (environ 0,75 mm) et 1/64 de pouce (environ 0,38 mm).

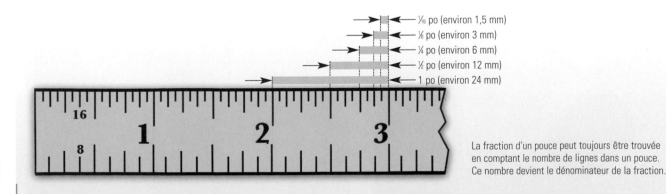

¹⁄₁₆ po (environ 1,5 mm)
⅛ po (environ 3 mm)
¼ po (environ 6 mm)
½ po (environ 12 mm)
1 po (environ 24 mm)

La fraction d'un pouce peut toujours être trouvée en comptant le nombre de lignes dans un pouce. Ce nombre devient le dénominateur de la fraction.

FIG. 17.2 | **Une règle graduée en mesures anglaises.**
La hauteur des lignes illustre la valeur de chaque subdivision.

Le pied à coulisse

Si le ruban à mesurer traditionnel s'avère indispensable pour mesurer des droites, le pied à coulisse l'est tout autant pour établir avec précision les dimensions de tubes, de cylindres, de sphères ou de trous, comme le montrent les figures 17.3 à 17.7.

Qu'il soit **analogique** ou numérique, le pied à coulisse est un outil particulièrement utile pour vérifier les mesures de diverses pièces qui doivent s'imbriquer l'une dans l'autre. Avec le micromètre (qui atteint des niveaux de précision supérieurs), il s'agit donc d'un des instruments dont on se sert le plus pour le contrôle de la qualité.

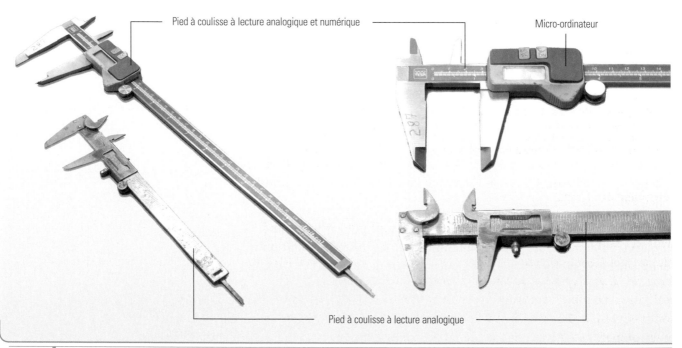

Pied à coulisse à lecture analogique et numérique

Micro-ordinateur

Pied à coulisse à lecture analogique

FIG. 17.3 **Pieds à coulisse à lecture analogique (en bas) et numérique (en haut)**
Les deux types de pied à coulisse sont des instruments de précision. La lecture des mesures sur l'appareil numérique est cependant plus simple.

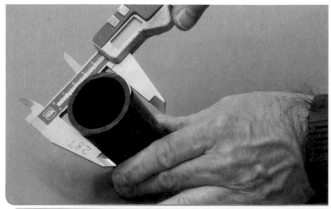

FIG. 17.4 **Mesure d'un diamètre extérieur à l'aide des «grandes mâchoires» du pied à coulisse**

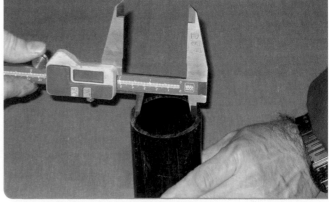

FIG. 17.5 **Mesure d'un diamètre intérieur grâce aux «petites mâchoires» du pied à coulisse**

Lecture analogique en unités de mesure
de longueur métriques (centimètres)

Lecture directe des mesures
(affichage numérique ; centimètres
ou pouces)

Curseur mobile

Lecture analogique en unités
de mesure de longueur anglaises
(pouces)

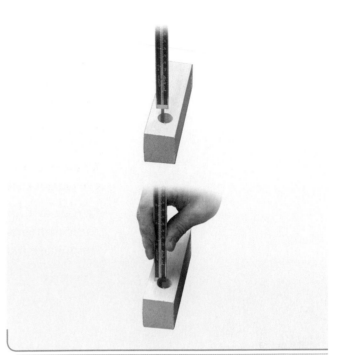

FIG. 17.6 Avec un pied à coulisse moderne, on peut lire les mesures directement sur l'écran d'affichage numérique. On peut aussi les lire sur la règle, en utilisant les graduations métriques ou impériales anglaises. Il s'agit simplement de lire la mesure à l'endroit indiqué par le curseur mobile.

FIG. 17.7 Pour mesurer la profondeur d'un trou, on descend la « tige de queue » du pied à coulisse dans le fond du trou (en haut), puis on fait glisser la règle de l'instrument jusqu'à ce qu'elle touche le haut du trou (en bas).

Le traçage des lignes

S'il est important de mesurer avec précision, il est tout aussi essentiel de tracer correctement les diverses lignes aux angles requis. Puisque la plupart des lignes doivent être tracées à 90° ou à 45°, on a recours aux équerres. Il existe une multitude d'équerres, selon les besoins. Pour la réalisation de projets techniques, les instruments les plus utilisés sont l'équerre à chapeau, l'équerre combinée, la fausse équerre et le compas. Ces quatre outils et leurs principaux usages sont présentés aux pages suivantes.

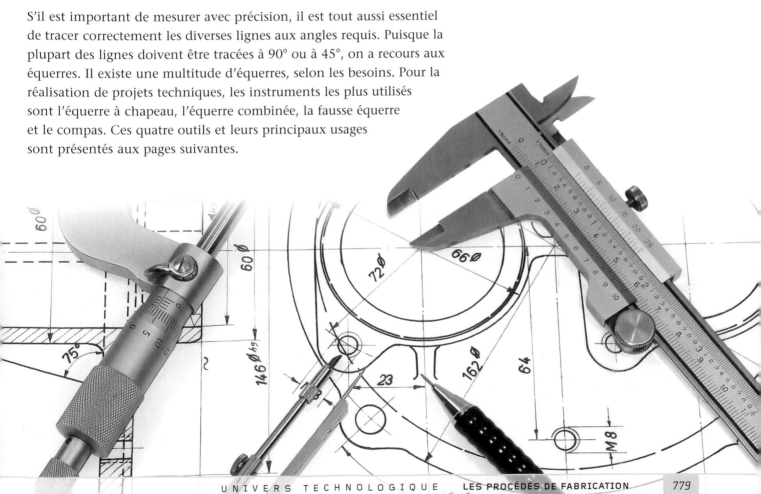

L'équerre à chapeau

L'équerre à chapeau sert principalement à tracer des angles de 90° et à vérifier l'équerrage des pièces (voir les figures 17.8 à 17.10). Lorsqu'on utilise ce type d'équerre, il importe de bien appuyer le « chapeau » sur la pièce.

L'équerre combinée

L'équerre combinée sert aux mêmes usages que l'équerre à chapeau, mais elle permet aussi de tracer des droites à 45° (voir les figures 17.11 à 17.13).

La règle de l'équerre combinée peut se déplacer latéralement, une particularité notamment utile pour la vérification de la profondeur ou le trusquinage (traçage de lignes parallèles) (voir les figures 17.14 et 17.15).

FIG. 17.8 | Équerre à chapeau

FIG. 17.9 | L'équerre à chapeau s'utilise principalement pour tracer des lignes à 90°.

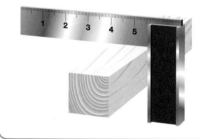

FIG. 17.10 | On se sert aussi de l'équerre à chapeau pour vérifier l'équerrage des pièces fabriquées.

FIG. 17.11 | Équerre combinée

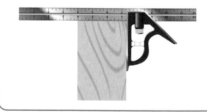

FIG. 17.12 | Traçage et vérification d'angles droits (90°)

FIG. 17.13 | Traçage et vérification d'angles à 45°

FIG. 17.14 | La règle coulissante de l'équerre combinée s'utilise pour vérifier la profondeur d'une rainure.

FIG. 17.15 | La règle coulissante s'utilise pour trusquiner.

La fausse équerre

La fausse équerre est un instrument qui sert à tracer tous les angles sauf ceux à 45° et à 90° (voir les figures 17.16 à 17.19).

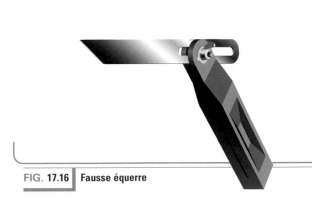

FIG. 17.16 | **Fausse équerre**

FIG. 17.17 | On ajuste la fausse équerre à l'aide d'un rapporteur d'angle.

FIG. 17.18 | Traçage d'un angle quelconque sur l'épaisseur d'une pièce (biseau)

FIG. 17.19 | Traçage d'un angle quelconque sur la largeur d'une pièce (onglet)

Le compas

Pour tracer des cercles ou des arcs de cercle, l'outil le plus fréquemment utilisé est le compas (voir la figure 17.20). Si l'on veut tracer un cercle ou un arc, il faut connaître deux données :

- la position du centre (où « piquer » le compas) ;

- la valeur du rayon (l'ouverture du compas).

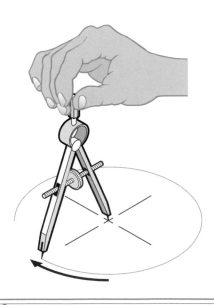

FIG. 17.20 | **Traçage d'un cercle ou d'un arc à l'aide du compas d'atelier**

Lorsque les matériaux ont été préparés aux dimensions brutes, l'étape suivante consiste à les couper aux mesures finies (mesures exactes) et à leur donner les formes désirées. C'est ce que l'on nomme le façonnage. Selon le type de matériau employé, cette étape se subdivise en plusieurs sous-opérations, dont les plus fréquentes sont le sciage, le découpage, le rabotage, le perçage, le profilage, le limage, le meulage, le tournage, le taraudage et filetage, et le pliage. Pour réaliser ces opérations, on a recours à une impressionnante variété d'outils, aussi bien manuels qu'électriques.

3.1 Le sciage

Scier consiste à faire des coupes rectilignes (coupes droites) dans divers matériaux. Pour ce faire, on utilise toute une gamme de scies manuelles et électriques.

L'égoïne

L'égoïne est un outil de sciage manuel utilisé pour les matériaux fibreux comme le bois (voir la figure 17.21). On peut aussi s'en servir pour le plastique. Elle s'emploie pour faire des coupes générales, de faible précision.

La scie à dos

La scie à dos est aussi utilisée pour la coupe de matériaux fibreux et de plastiques (voir la figure 17.22). Elle se distingue de l'égoïne par sa lame carrée renforcée d'un « dos rigide ». On s'en sert principalement pour faire des coupes nécessitant plus de précision.

La scie à métal

La scie à métal coupe les matériaux métalliques (voir la figure 17.23). Sa précision est cependant limitée.

Les scies circulaires électriques

Dans presque tous les ateliers, les outils de coupe munis de lames rotatives circulaires ont remplacé les outils de sciage manuels. Ces machines actionnées par des moteurs électriques puissants sont plus précises et plus rapides. La scie à onglet est l'une des scies circulaires les plus utilisées aujourd'hui, notamment pour des coupes à angle.

FIG. 17.21 | Égoïne de menuisier
Cet outil s'utilise pour les coupes longues et nécessitant peu de précision.

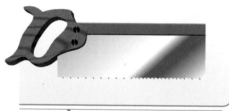

FIG. 17.22 | Scie à dos
Cette scie s'utilise pour les coupes courtes et de précision.

FIG. 17.23 | Scie à métal manuelle
La lame se change facilement, selon les types de métaux à couper.

Comment utiliser une scie à onglet?

On se sert d'une scie à onglet pour couper des pièces à la bonne longueur. Cette technique est aussi appelée tronçonnage ou coupe faite dans le sens contraire des fibres (voir les figures 17.24 à 17.26).

La scie à onglet s'utilise aussi pour réaliser des coupes de précision, à angle (voir la figure 17.27), aussi bien en onglet (selon la largeur de la pièce) qu'en biseau (selon l'épaisseur de la pièce). ▌

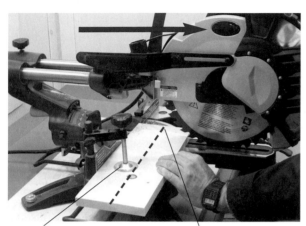

Serre de blocage   Sens des fibres
de la pièce   du bois

FIG. 17.24 Pour effectuer une coupe dans le sens contraire des fibres (tronçonnage), on s'assure d'abord de bien bloquer la pièce en place, puis on tire la scie vers soi et on l'abaisse vers la pièce à couper. À cette étape, la machine n'est pas encore en marche.

Position des doigts:
groupés et éloignés de la lame

FIG. 17.25 On met la scie en marche, puis on pousse lentement la lame dans la pièce à couper. Les doigts de la main qui tiennent la planche doivent rester groupés, le plus loin possible de la lame.

FIG. 17.26 On continue à pousser la lame jusqu'à ce que la coupe soit complétée. Le travail terminé, on remonte la lame. Il ne faut jamais tenter de couper le bois dans le sens des fibres (refendre). Les lames des scies à onglet ne sont pas conçues pour ce type de coupe.

FIG. 17.27 La scie à onglet permet d'effectuer des coupes à angle très précises. On ajuste la scie à l'angle voulu, puis on procède comme dans le cas d'une coupe à 90°.

17.1 : Lame et découpage

But : déterminer, grâce à plusieurs essais pratiques, si la largeur des lames des diverses scies à découper a une influence sur la capacité à effectuer un découpage avec un faible rayon de braquage. ▮

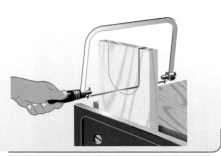

FIG. **17.28** Découpage à l'aide de la scie à découper manuelle avec la pièce placée verticalement dans un étau

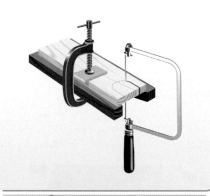

FIG. **17.29** Découpage à l'aide de la scie à découper manuelle avec la pièce placée horizontalement sur un butoir de découpe

FIG. **17.30** La scie sauteuse est l'outil de découpage le plus utilisé.

3.2 Le découpage

Découper signifie réaliser des coupes non rectilignes (c'est-à-dire des courbes ou des motifs irréguliers) dans différents matériaux. Pour ce faire, on peut avoir recours à toute une variété d'outils manuels et électriques.

La scie à découper manuelle

Aussi appelée scie à **chantourner** manuelle, la scie à découper manuelle est munie d'une lame étroite pouvant exécuter relativement facilement des découpes courbes ou irrégulières. Plus la lame est étroite, plus il est facile de tourner avec la scie, et ce, avec des rayons de découpage très faibles. Il est possible de travailler horizontalement ou verticalement, selon la coupe à effectuer (voir les figures 17.28 et 17.29).

Les outils de découpage électriques

La scie sauteuse est un outil portatif, alors que la scie à ruban et la scie à chantourner de table sont des machines fixes (voir les figures 17.30 et 17.31). Ces machines permettent, selon le type de lame utilisé, de travailler tous les types de matériaux : bois, plastiques, métaux non ferreux et ferreux.

Comme dans le cas de la scie à chantourner manuelle, les lames des scies à découper électriques sont plus ou moins étroites pour faciliter les coupes courbes.

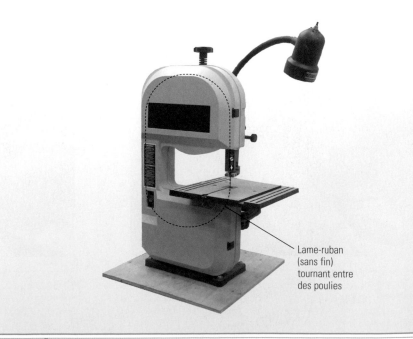

Lame-ruban (sans fin) tournant entre des poulies

FIG. **17.31** La scie à ruban s'utilise pour le découpage rapide et précis de pièces relativement épaisses.

3.3 Le perçage (STE) (ATS)

De toutes les opérations liées au façonnage, le perçage est sans contredit la plus fréquemment exécutée, peu importe le type de matériau travaillé. Cette opération consiste à réaliser les trous ronds nécessaires à la fabrication et à l'assemblage des diverses pièces d'un objet. Tous les modèles de perceuses portatives, comme celles de la figure 17.32, permettent d'obtenir tous les formats de trous requis. Cependant, il s'avère très difficile, voire impossible, de percer à angle droit (précisément à 90°) avec ce type d'outil, puisqu'il faut le tenir dans les mains. Seule la perceuse à colonne permet d'atteindre un niveau de précision adéquat (voir la figure 17.33). Munies des forets, mèches et accessoires appropriés (voir la figure 17.34), les différentes perceuses peuvent percer tous les types de matériaux. Il faut cependant ajuster la vitesse de rotation de l'outil en fonction de la dureté du matériau et du diamètre des accessoires (mèches ou forets). En général, on peut appliquer la règle suivante : plus le matériau est dur ou plus l'accessoire est gros, plus la vitesse de rotation doit être lente.

FIG. 17.32 La perceuse portative, avec ou sans fil, compte parmi les outils les plus utilisés dans les ateliers.

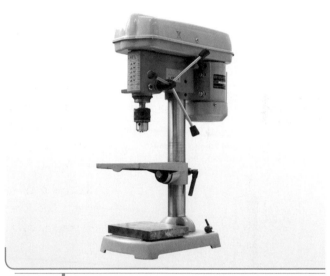

FIG. 17.33 La perceuse à colonne est le seul outil de perçage qui permet d'effectuer des perçages de précision, peu importe l'angle.

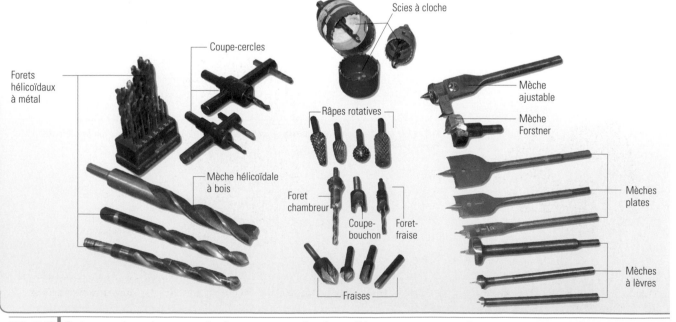

Forets hélicoïdaux à métal

Coupe-cercles

Scies à cloche

Mèche hélicoïdale à bois

Râpes rotatives

Mèche ajustable

Mèche Forstner

Foret chambreur

Coupe-bouchon

Foret-fraise

Mèches plates

Fraises

Mèches à lèvres

FIG. 17.34 Quelques-uns des nombreux accessoires de perçage pouvant s'installer aussi bien sur une perceuse portative que sur une perceuse à colonne (sauf le coupe-cercle qui s'utilise avec la perceuse à colonne seulement). À l'aide de ces accessoires, on peut faire presque tous les trous requis, dans une très grande variété de matériaux.

17.2 : Performances des accessoires de perçage

But : déterminer, à l'aide de plusieurs mèches ou forets, quel accessoire de perçage permet de réaliser les trous les plus « propres » dans différents types de bois. ∎

Différence entre un foret et une mèche

Un foret est une tige de métal dont l'extrémité qui perce a la forme d'un V (voir la figure 17.35). L'angle formé par un côté du V et l'axe du foret est de 60° pour les forets à métal et de 30° pour les forets à bois. De nos jours, cependant, les forets à bois ne se vendent presque plus puisque ceux à métaux percent aussi le bois. Une mèche est toujours munie d'une tige centrale ronde, plate ou ayant la forme d'une vis (voir la figure 17.36). Les mèches ne percent pas les métaux.

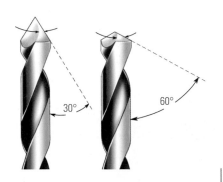

30°   60°

FIG. **17.35** | **Forets pour le bois (à gauche) et pour le métal (à droite)**

— Tige centrale

FIG. **17.36** | **Une mèche**

Comment utiliser une perceuse portative ?

Pour faire un bon travail avec la perceuse portative, il faut immobiliser la pièce avec la main (et l'étau) et garder la perceuse droite. Lorsque le matériau est dur ou épais, on peut utiliser les deux mains pour pousser, en s'assurant toujours que l'outil reste droit (voir la figure 17.37). ∎

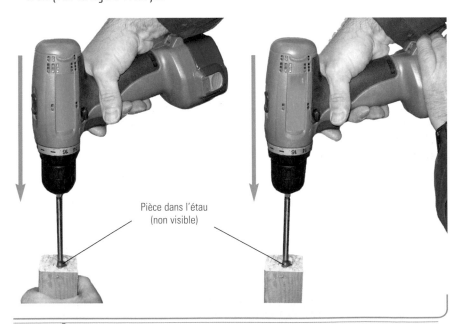

Pièce dans l'étau (non visible)

FIG. **17.37** | **Utilisation d'une perceuse portative avec une ou deux mains, selon la difficulté du travail à réaliser**

Comment utiliser une perceuse à colonne avec les métaux ?

Après le marquage du centre du trou avec un poinçon, on amorce le perçage de la pièce. On ajoute généralement quelques gouttes de fluide de coupe afin de lubrifier le foret. Cette étape est obligatoire pour percer l'acier. On peut aussi utiliser de l'huile 10W-30. Cette technique permet de réduire la friction sur le foret. On poursuit ensuite le perçage. Ces étapes sont illustrées à la figure 17.38. Il est à noter que seuls les forets hélicoïdaux à métaux peuvent percer les métaux. La vitesse de rotation doit être lente avec de gros forets et les métaux durs. ▮

FIG. 17.38 | **Utilisation d'une perceuse à colonne sur un morceau de métal**
Début du perçage (à gauche), lubrification (au centre), fin du perçage (à droite)

Comment utiliser une perceuse à colonne avec le bois ?

Le bois, qu'il soit mou ou dur, peut se percer avec n'importe quel type de foret ou de mèche (voir la figure 17.39). Si l'on tient la pièce avec les mains, il faut s'assurer qu'elle est suffisamment grande pour offrir une bonne prise. Si la pièce est trop petite, il est préférable d'utiliser un étau, une pince-étau ou une serre. La vitesse de perçage variera selon les caractéristiques suivantes du matériau ou des accessoires :

* matériau mou ou petit diamètre de la mèche ou du foret : vitesse rapide ;

* matériau dur ou grand diamètre de la mèche ou du foret : vitesse lente. ▮

FIG. 17.39 | **Utilisation d'une perceuse à colonne sur un morceau de bois**

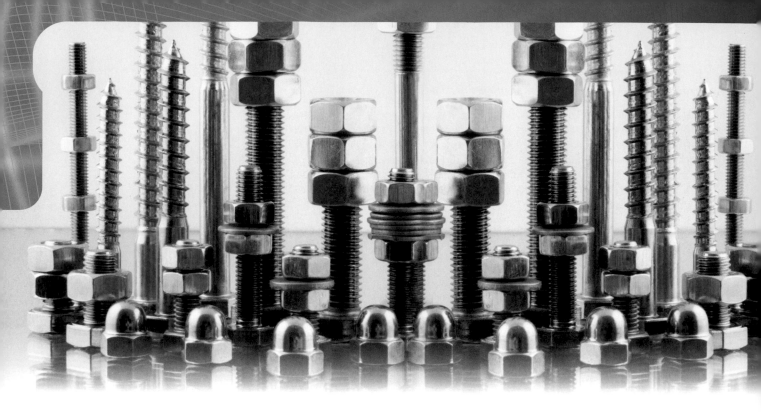

★ DÉFI

Les tarauds et les filières

Même si leur apparence extérieure est très semblable, il existe trois principaux types de tarauds et de filières, selon le filetage à réaliser. En effectuant une recherche dans des ouvrages techniques ou Internet, nommez ces trois types et précisez les caractéristiques et les usages de chacun. ∎

3.4 Le taraudage et le filetage STE ATS

Parmi les modes de liaison employés en technologie pour assembler les diverses pièces d'un objet, l'un des plus courants est l'usage de boulons (ou tiges filetées) et d'écrous (ou pièces filetées faisant office d'écrous). Pour avoir recours à ces organes d'assemblage, il faut pouvoir effectuer les divers filetages requis.

De nos jours, les filetages sont réalisés par des machines industrielles très puissantes et très rapides. Cependant, il arrive encore que l'on soit obligé d'en faire soi-même ou d'en réparer manuellement. Les outils dont on se sert alors pour effectuer ce travail sont le **taraud** et la **filière** (voir les figures 17.40 et 17.41).

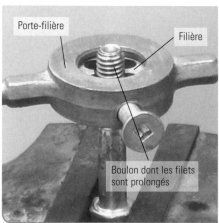

FIG. 17.40 La filière sert à réaliser les filets «mâles» d'un boulon ou d'une tige filetée.

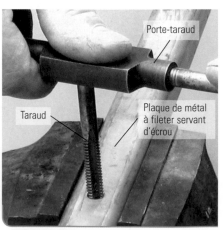

FIG. 17.41 Le taraud s'utilise pour faire les filets «femelles» de l'écrou ou de la pièce servant d'écrou.

Comment réaliser un filetage et un taraudage?

Filetage:

❶

Mettre de l'huile sur la tige ou le boulon.

❷

Insérer la filière et amorcer la rotation, dans le sens horaire, en pressant vers le bas.

❸

Tous les demi-tours, faire marche arrière pour laisser tomber la limaille.

❹

Poursuivre le filetage en continuant à tourner dans le sens horaire. Huiler à chaque tour.

Taraudage:

❶

Percer un trou plus petit que le boulon, soit environ 1/16 po (approximativement 1,5 mm) à 1/32 po (approximativement 0,75 mm) plus petit.

❷

Insérer le taraud et amorcer la rotation, dans le sens horaire, en pressant vers le bas.

❸

Tous les demi-tours, faire marche arrière pour laisser tomber la limaille et huiler.

❹

Poursuivre le taraudage en tournant dans le sens horaire.

❺

Vérifier si les filets du boulon (filets mâles) sont compatibles avec les filets de la pièce servant d'écrou (filets femelles).

FIG. 17.42 Les étapes de réalisation d'un filetage et d'un taraudage

3.5 Le pliage

Lorsqu'une des pièces d'un objet doit être fabriquée à partir de métal en feuille (tôle), il faut pouvoir plier ce métal pour lui donner la ou les formes désirées. Cette opération s'appelle le pliage ou le cambrage. L'industrie a mis au point toute une gamme de «plieuses à métal» plus ou moins sophistiquées capables de l'effectuer efficacement et rapidement. Cependant, même la plus simple de ces machines est relativement onéreuse et reste généralement hors de portée budgétaire pour les laboratoires de science et technologie des écoles ou les petits ateliers des artisans et artisanes ou des bricoleurs et bricoleuses.

Il existe néanmoins des méthodes artisanales simples pour plier des tôles minces d'acier, d'aluminium ou de cuivre.

Comment réaliser un pliage à l'étau ?

On marque d'abord d'un trait pointillé l'endroit où l'on veut plier la feuille de métal. Puis on aligne ce trait avec le dessus de l'étau et on serre les mâchoires de l'étau fermement sur le métal. On applique une pression vers l'arrière avec les pouces. Pour obtenir l'angle souhaité, on repousse complètement le métal en feuille à l'aide des pouces. On équerre ensuite le pli avec un maillet de plastique ou un marteau et un bloc de bois. Ces étapes sont illustrées à la figure 17.43. ▌

Ligne de pliage   Dessus de l'étau

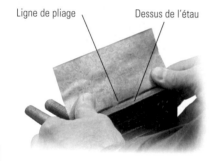  

FIG. 17.43 | **Pliage d'une feuille de métal à l'étau**
Alignement de la feuille (à gauche), pliage de la feuille (au centre) et équerrage à l'aide d'un maillet (à droite)

Comment réaliser un pliage avec une pince-étau ?

On aligne le rebord de la pince-étau avec la ligne de pliage, puis on applique une pression avec le pouce pour amorcer le pliage (voir la figure 17.44). ▌

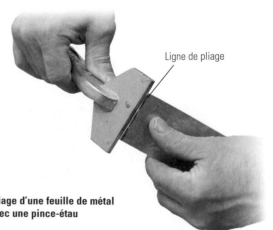

Ligne de pliage

FIG. 17.44 | **Pliage d'une feuille de métal avec une pince-étau**

Comment réaliser un pliage avec des serres en « C » ?

On positionne la ligne de pliage avec les rebords de deux morceaux de bois très droits. On bloque les deux pièces de bois et la tôle à l'aide de deux serres en « C ». Pour commencer le pliage, on applique une pression vers le bas avec les pouces, près des pièces de bois. On rabat progressivement la pièce vers les morceaux de bois pour obtenir l'angle voulu. Enfin, on aplatit le pliage à l'aide d'un maillet. Ces étapes sont illustrées à la figure 17.45. ∎

Ligne de pliage

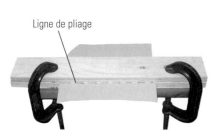  

FIG. 17.45 | **Pliage d'une feuille de métal avec des serres en « C »**
Alignement de la feuille (à gauche), pliage de la feuille (au centre) et équerrage à l'aide d'un maillet (à droite)

Après avoir effectué un pliage, il suffit de vérifier si l'angle obtenu correspond bien à l'angle voulu (voir la figure 17.46).

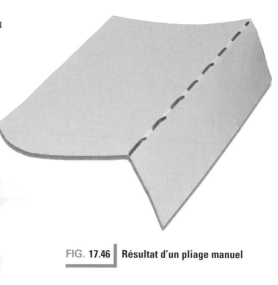

FIG. 17.46 | **Résultat d'un pliage manuel**

L'assemblage constitue généralement la dernière étape de fabrication avant que l'on applique, sur l'objet terminé, les divers produits de finition. Il consiste à regrouper toutes les composantes de l'objet pour en faire un tout.

Vous avez vu, au chapitre 14, les divers organes de liaison (clous, vis, boulons, adhésifs, soudures, etc.) pouvant être mis à contribution pour réaliser cette étape importante. Dans plusieurs technologies, en ébénisterie par exemple, on parle d'assemblage pour décrire des façonnages particuliers effectués sur certaines pièces pour leur permettre de s'imbriquer dans d'autres pièces.

Les figures 17.47 à 17.53 présentent quelques-uns des assemblages les plus fréquemment utilisés.

FIG. **17.47** | **Assemblage chant sur chant à 90°** (illustration du haut) et assemblage bout sur bout à 90° (illustration du bas)

FIG. **17.48** | **Assemblage chant sur chant à 45°** (illustration du haut) et assemblage bout sur bout à 45° (illustration du bas)

FIG. **17.49** | **Assemblage à tenon et mortaise**

FIG. **17.50** | **Assemblage à mi-bois**

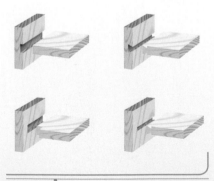

FIG. **17.51** | **Assemblage à rainure et feuillure**

FIG. **17.52** | **Assemblage chant sur chant, à languette et à fausse languette**

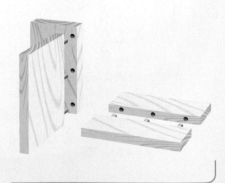

FIG. **17.53** | **Assemblage à goujons ou chevilles**

Les principes régissant l'assemblage

Pour réussir correctement cette étape de fabrication, il importe de respecter quelques principes de base, soit:

• Contrôler les formes et les dimensions de chaque pièce à assembler. Il est essentiel de vérifier avec soin les formes et les dimensions de chacune des pièces avant de les assembler. Une pièce non conforme serait la source de plusieurs problèmes au moment de l'assemblage final.

On fait généralement ce travail avec:
– le ruban à mesurer ou la règle;
– le pied à coulisse;
– les divers gabarits ayant servi à tracer les formes.

• Contrôler les positions relatives des pièces. Les pièces doivent être correctement positionnées l'une par rapport à l'autre. Il est donc impératif de marquer avec précision la position de chaque pièce par rapport à celle sur laquelle on l'assemble. Pour ce faire, on se sert des outils de mesurage ou des gabarits d'assemblage, lorsque le nombre de pièces identiques à assembler est important.

• S'assurer que les pièces sont maintenues dans la bonne position et mises sous pression.

• S'assurer que les pièces sont bloquées en position grâce aux organes de liaison.

Une fois les pièces assemblées et bloquées, il faut vérifier si leurs positions relatives et les angles d'assemblage sont conformes aux spécifications. Pour ce faire, on utilise la règle, le ruban à mesurer et les équerres.

Les outils d'assemblage les plus utilisés sont les serres en « C » et les serre-joints. Ils sont illustrés, avec des exemples d'utilisation, aux figures 17.54 à 17.58.

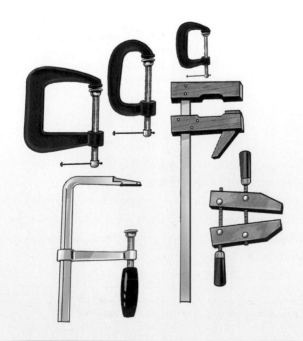

FIG. 17.54 Divers types de serres en « C »

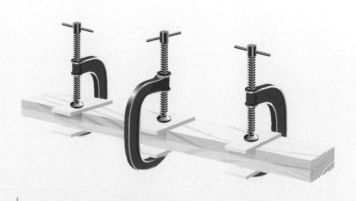

FIG. 17.55 Utilisation de serres en « C » pour coller des pièces

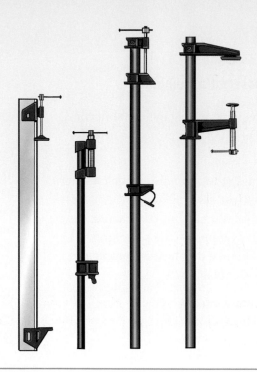

FIG. **17.56** Quelques modèles de serre-joints

FIG. **17.57** Serre-joints utilisés pour assembler un cadre

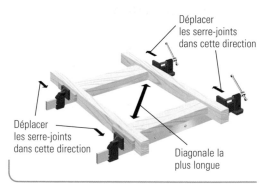

Déplacer les serre-joints dans cette direction

Déplacer les serre-joints dans cette direction

Diagonale la plus longue

FIG. **17.58** Technique de collage de panneaux avec des serre-joints

L'étape finale, la finition, consiste à appliquer divers produits sur les objets assemblés ou leurs différentes pièces pour les protéger ou les embellir. Elle est souvent considérée comme l'étape de fabrication la plus critique. En effet, presque aucune erreur n'est « pardonnable » à ce stade. Une coulure, une poussière, une goutte, bref, la moindre imperfection et le produit fini ne passera pas à l'inspection finale. De plus, corriger un défaut de finition peut coûter très cher.

EXERCICES

1 LES ÉTAPES DE FABRICATION D'UN OBJET TECHNIQUE

1. Nommez les huit étapes de fabrication qu'il est essentiel de maîtriser pour fabriquer un objet technique.

2 LE MESURAGE ET LE TRAÇAGE

2. Quelle est l'unité de mesure de base du système international d'unités ?

3. Nommez les trois premières subdivisions de l'unité de base du SI, avec les symboles qui les représentent, en donnant la valeur de chacune par rapport à cette unité.

4. Quelles sont les deux unités de base du système anglais les plus utilisées dans le secteur de la construction, de la rénovation et de la fabrication ?

5. Quelles sont les quatre premières subdivisions de la plus petite unité de base du système anglais ?

6. Nommez les outils de mesurage et de traçage illustrés ci-dessous, en donnant pour chacun son ou ses principaux usages.

a) _____

c) _____

e) _____

b) _____

d) _____

7. Quel est le nom de l'outil illustré ci-dessous ?

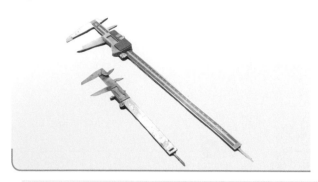

8. L'outil illustré au numéro **7** s'emploie pour réaliser trois principaux types d'opérations, représentées dans les illustrations ci-dessous. Nommez ces opérations.

a)   b)   c)

③ LE FAÇONNAGE   STE ATS

9. Que signifie le terme *scier* ?

10. Nommez les outils de sciage illustrés ci-dessous, en donnant pour chacun son ou ses principaux usages.

a)

b)

c)

d)

STE
ATS

11. Que faut-il absolument éviter de faire avec la scie illustrée au numéro **10 b)** ? Pourquoi ?

12. Que signifie le terme *découper* ?

13. Nommez les outils de perçage illustrés ci-dessous.

a)

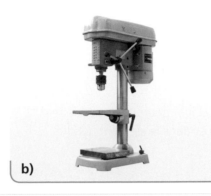

b)

c)

14. Lequel des outils illustrés au numéro **13** assure un perçage de précision à n'importe quel angle ?

15. Nommez les accessoires de perçage ci-dessous.

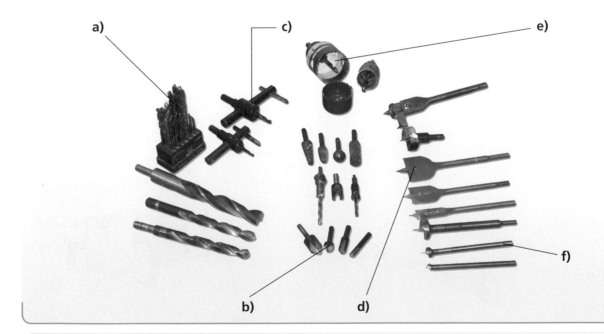

a) c) e)

b) d) f)

16. Comment nomme-t-on l'accessoire pouvant percer les métaux ?

17. Pourquoi ajoute-t-on un fluide de coupe lorsqu'on perce de l'acier ?

STE **ATS** **18.** Donnez le nom des outils illustrés ci-dessous et précisez leur fonction.

a)

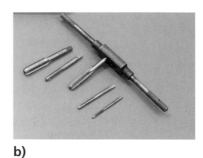

b)

19. Au cours du taraudage ou du filetage, pourquoi faut-il faire marche arrière (c'est-à-dire tourner dans le sens antihoraire) tous les demi-tours ?

20. Nommez trois méthodes permettant de plier une feuille de métal mince lorsqu'on ne dispose pas d'une plieuse spécialement conçue à cet effet.

21. Dans quel champ d'activité professionnel le pliage des métaux en feuille est-il particulièrement utile ?

4 L'ASSEMBLAGE   **STE** **ATS**

STE **ATS** **22.** Parmi les divers procédés de fabrication, en quoi consiste l'assemblage ?

23. Nommez les outils d'assemblage illustrés ci-dessous.

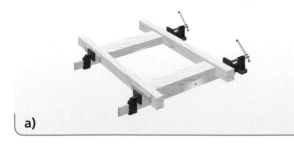

a)

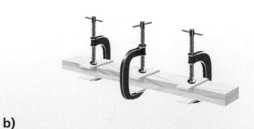

b)

STE ATS 24. La règle illustrée ci-dessous est graduée en mesures anglaises.
Donnez la mesure correspondant à chaque lettre.

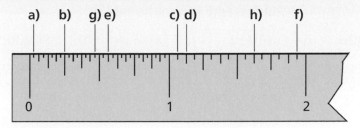

25. Qu'est-ce qui différencie une mèche d'un foret ?

26. Complétez les énoncés suivants.

Matériau ▮▮▮▮▮▮▮▮ ou petit diamètre de la mèche
ou du foret : ▮▮▮▮▮▮▮

Matériau ▮▮▮▮▮▮▮▮ ou grand diamètre de la mèche
ou du foret : ▮▮▮▮▮▮

27. Nommez les quatre principes de base qu'il importe de respecter
au cours de l'assemblage des pièces d'un objet.

TIROIR TECHNO

LES UNITÉS DE MESURE

Les unités de base du Système international (SI)

NOM DE LA GRANDEUR	NOM DE L'UNITÉ DE MESURE	SYMBOLE DE L'UNITÉ DE MESURE
Courant électrique	Ampère	A
Intensité lumineuse	Candela	cd
Longueur	Mètre	m
Masse	Kilogramme	kg
Quantité de matière	Mole	mol
Température	Kelvin	K
Temps	Seconde	s

Les unités de mesure découlant du Système international (SI)

NOM DE LA GRANDEUR	NOM DE L'UNITÉ DE MESURE	SYMBOLE DE L'UNITÉ DE MESURE
Accélération	Mètre par seconde carrée	m/s^2
Aire	Mètre carré	m^2
Chaleur massique	Joule par kilogramme-kelvin	$J/kg \cdot K \ [m^2/s^2 \cdot K]$
Champ électrique	Volt par mètre	$V/m \ [kg \cdot m/A \cdot s^3]$
Champ magnétique	Tesla	$T \ [kg/A \cdot s^2]$
Charge électrique	Coulomb	$C \ [A \cdot s]$
Densité	Kilogramme par mètre cube	kg/m^3
Énergie	Joule	$J \ [kg \cdot m^2/s^2]$
Force	Newton	$N \ [kg \cdot m/s^2]$
Force électromotrice (potentiel électrique)	Volt	$V \ [kg \cdot m^2/A \cdot s^3]$
Fréquence	Hertz	$Hz \ [1/s]$
Longueur d'onde	Mètre	m
Masse molaire	Gramme par mole	g/mol
Période	Seconde	s
Poids	Newton	$N \ [kg \cdot m/s^2]$
Pression	Pascal	$Pa \ [kg/m \cdot s^2]$
Puissance	Watt	$W \ [kg \cdot m^2/s^3]$
Radioactivité	Becquerel	$Bq \ [1/s]$
Résistance électrique	Ohm	$\Omega \ [kg \cdot m^2/A^2 \cdot s^3]$
Solubilité	Gramme par litre	$g/L \ [kg/m^3]$
Viscosité	Pascal par seconde	$Pa/s \ [kg/m \cdot s]$
Vitesse	Mètre par seconde	m/s
Volume	Mètre cube	m^3

Les unités courantes n'appartenant pas au Système international (SI)

NOM DE LA GRANDEUR	NOM DE L'UNITÉ DE MESURE	SYMBOLE DE L'UNITÉ DE MESURE	FACTEUR DE CONVERSION AU SI
Aire	Hectare	ha	$= 10\ 000\ m^2$
Champ magnétique	Gauss	G	$= 0{,}0001\ T$
Énergie	Calorie	cal	$= 4{,}18\ J$
	Wattheure	Wh	$= 3600\ J$
Longueur	Année-lumière	a.l.	$= 9{,}46 \times 10^{15}\ m$
	Mile	mi	$= 1609{,}34\ m$
	Pied	ft	$= 0{,}3048\ m$
	Pouce	in	$= 0{,}0254\ m$
	Unité astronomique	UA	$= 1{,}496 \times 10^{11}\ m$
Masse	Masse solaire	$M_{\odot}$	$= 1{,}9891 \times 10^{30}\ kg$
	Tonne	t	$= 1000\ kg$
	Unité de masse atomique	u	$= 1{,}6605 \times 10^{-27}\ kg$
Pression	Atmosphère	atm	$= 101\ 300\ Pa$
	Bar	bar	$= 100\ 000\ Pa$
	Millimètre de mercure	mm Hg	$= 133{,}322\ Pa$
	Torr	Torr	$= 133{,}322\ Pa$
Puissance	Cheval vapeur	ch	$= 735{,}5\ W$
Température	Degré Celsius	°C	$= K - 273$
	Degré Fahrenheit	°F	$= K \times 1{,}8 - 459{,}67$
Temps	Heure	h	$= 3600\ s$
	Minute	min	$= 60\ s$
Vitesse	Nœud	nd	$= 0{,}514\ m/s$
Volume	Litre	L	$= 0{,}001\ m^3$

Les multiples et sous-multiples des unités

MULTIPLE	FACTEUR MULTIPLICATIF	PUISSANCE DE 10	SOUS-MULTIPLE	FACTEUR MULTIPLICATIF	PUISSANCE DE 10
Déca (da)	10	10^1	**Déci (d)**	0,1	10^{-1}
Hecto (h)	100	10^2	**Centi (c)**	0,01	10^{-2}
Kilo (k)	1000	10^3	**Milli (m)**	0,001	10^{-3}
Méga (M)	1 000 000	10^6	**Micro (μ)**	0,000 001	10^{-6}
Giga (G)	1 000 000 000	10^9	**Nano (n)**	0,000 000 001	10^{-9}
Tera (T)	1 000 000 000 000	10^{12}	**Pico (p)**	0,000 000 000 001	10^{-12}
Peta (P)	1 000 000 000 000 000	10^{15}	**Femto (f)**	0,000 000 000 000 001	10^{-15}
Exa (E)	1 000 000 000 000 000 000	10^{18}	**Atto (a)**	0,000 000 000 000 000 001	10^{-18}

Exemples: – Un nanomètre (nm) correspond à 0,000 000 001 m ou 1×10^{-9} m ;

– Un kilojoule correspond à 1000 J ou 1×10^3 J ;

– Une milliseconde correspond à 0,001 s ou 1×10^{-3} s.

LA SÉCURITÉ EN ATELIER

Les règles de sécurité à connaître et à respecter

RÈGLES GÉNÉRALES

- Maintenir le local propre et rangé. Les objets doivent être placés de manière à éviter que les gens y trébuchent.

- Ranger les livres et effets personnels dans une étagère spécialement conçue à cette fin et située à l'entrée du local. Aucun livre ne doit être déposé sous les tables de travail.

- Ne pas courir ou bousculer les autres, sous aucun prétexte.

- Toujours travailler calmement.

- Éviter de parler inutilement.

- Éviter de crier, en tout temps.

- Ne pas manger ni boire à l'atelier.

- Ne pas déranger ni faire sursauter une personne travaillant avec un outil ou une machine. Il est impératif d'attendre qu'elle ait fini son travail avant de l'interpeller.

- Planifier les étapes de réalisation du travail et prévoir tous les dispositifs de sécurité nécessaires.

RÈGLES PERSONNELLES DE SÉCURITÉ

- Éviter de porter des vêtements amples ou détachés, qui peuvent s'accrocher dans les établis, les outils ou les machines.

- Attacher les cheveux longs.

- Ne pas porter de bijoux tels que bracelets, bagues, colliers ou breloques.

- Éviter de porter des lentilles cornéennes (verres de contact) à cause des poussières.

- Porter des lunettes de sécurité en tout temps.

- Utiliser des protecteurs spéciaux lorsqu'il y a lieu (*ex. :* tablier, gants, visière).

- Avant d'amorcer l'usinage, bien fixer la pièce à travailler.

- Avant d'utiliser un outil ou une machine, toujours l'inspecter visuellement pour s'assurer de son bon état de fonctionnement. En cas de doute, aviser la personne responsable (l'enseignant ou l'enseignante, le technicien ou la technicienne).

- S'assurer que les outils tranchants ou coupants sont bien affûtés.

- Ne jamais placer ses doigts ou ses mains dans la trajectoire de l'outil.

- Toujours garder ses doigts et ses mains le plus loin possible de la partie coupante de l'outil ou de la machine.

- Toujours débrancher les outils électriques avant d'y installer ou d'y changer un accessoire.

Les symboles des règles de sécurité

Le port des lunettes de sécurité est obligatoire en tout temps.

Ne portez aucun vêtement ample et détaché.

Une seule personne à la fois sur un tapis antidérapant.

Signalez toutes blessures au professeur et rincez à l'eau.

Pas de bousculade autour des machines-outils.

TIROIR TECHNO

CARRIÈRES

LES CARRIÈRES ASSOCIÉES AU LANGAGE DES LIGNES

Entre l'idée et l'objet, il y a un dessin

Vous avez imaginé la maison de vos rêves ou inventé un objet révolutionnaire? La première chose à faire, c'est de dessiner ou faire dessiner cette maison ou cet objet. Toute conception passe en effet par cette étape préliminaire, qui exige la connaissance des techniques de dessin ainsi que des symboles et des conventions qui y sont rattachés. Ce sont les architectes et les dessinateurs et dessinatrices industriels qui sont les spécialistes de la représentation graphique des idées.

Le domaine de l'architecture combine des connaissances liées à l'art et à l'ingénierie. Les architectes conçoivent des maisons, des gratte-ciel, des écoles, etc. Ils et elles sont employés par des particuliers, des promoteurs immobiliers, des entreprises ou le gouvernement. En plus d'effectuer la planification générale d'un bâtiment à l'aide de dessins, de modèles informatiques et de maquettes, les architectes créent des plans techniques qui tiennent compte de la durabilité ou de la consommation d'énergie, par exemple, en collaboration avec des ingénieurs ou ingénieures. Ils et elles s'assurent par la suite que l'exécution est conforme à leur conception. Pour exercer la profession d'architecte, il faut avoir complété des études universitaires et détenir un permis délivré par l'Ordre des architectes du Québec.

Les pièces mécaniques, les pièces d'équipement, les outils et les objets manufacturés doivent eux aussi être dessinés avant leur confection. Ce sont les dessinateurs et dessinatrices industriels qui effectuent les croquis, selon les directives des ingénieurs et ingénieures. Ces spécialistes du dessin industriel, qui ont pour la plupart suivi une formation professionnelle au secondaire, utilisent à la fois la table à dessin et l'ordinateur. Pour dessiner les vues, les sections et les coupes nécessaires à la fabrication des pièces, les dessinateurs et dessinatrices doivent posséder un sens développé de la précision et de la perception spatiale. ∎

Une architecte dessinant le plan d'une future maison.

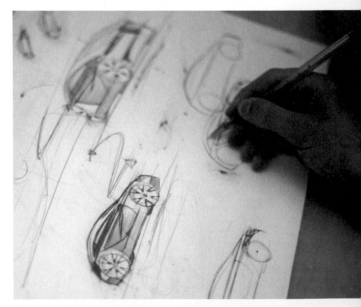

Quelques tracés préliminaires d'une voiture effectués par un dessinateur industriel.

Un ingénieur mécanique vérifie le fonctionnement d'un prototype de robot.

LES CARRIÈRES ASSOCIÉES À L'INGÉNIERIE MÉCANIQUE

Les mécanismes sous toutes leurs formes

Toutes les machines et tous les instruments présents dans notre environnement ont été conçus, fabriqués et perfectionnés par des ingénieurs ou ingénieures mécaniques et par des techniciens ou techniciennes en génie mécanique.

Ce sont des ingénieurs ou ingénieures mécaniques qui ont créé les divers dispositifs mécaniques qui nous entourent. Nous leur devons, par exemple, les réfrigérateurs, les voitures et les turbines des centrales thermiques. Le programme de génie mécanique est offert à l'université. Diverses spécialisations sont possibles : en génie automobile (conception des systèmes mécaniques des véhicules), en énergie (conception de systèmes énergétiques : turbines, moteurs, fours, etc.), en mécanique du bâtiment (conception de systèmes de climatisation, de chauffage, de réfrigération, etc.), en technologie spatiale (conception de systèmes spatiaux et de satellites) ou en robotique (conception de robots et de systèmes automatisés). Employés dans diverses industries, les ingénieurs et ingénieures mécaniques recherchent la puissance et la productivité optimale pour chacun des mécanismes qu'ils conçoivent.

Après qu'un mécanisme a été conçu, c'est aux techniciens et techniciennes en génie mécanique qu'incombe la responsabilité de l'installer et de s'assurer de son bon fonctionnement. Plus précisément, le travail de ces personnes consiste à élaborer des plans, à coordonner le montage d'un système, puis à tester ce dernier. Pour exercer ce métier, il faut faire preuve d'ingéniosité, posséder des aptitudes mathématiques et aimer la résolution de problème et le travail d'équipe. Les techniciens et techniciennes suivent leur formation au collégial. ▪

Un technicien en génie mécanique installe un moteur.

Un ingénieur électrique vérifiant les plans d'un réseau de distribution du courant à réparer.

Un technicien en électronique effectuant le contrôle d'un circuit imprimé.

LES CARRIÈRES ASSOCIÉES À L'INGÉNIERIE ÉLECTRIQUE

Les différents visages de l'électricité

La demande croissante en énergie nécessite sans cesse l'élaboration de nouvelles infrastructures électriques. De plus, les impératifs environnementaux, tels que la lutte aux changements climatiques, requiert la mise au point de modes de production propres et renouvelables. Des immenses centrales électriques aux minuscules circuits intégrés, les ingénieurs et ingénieures électriques ainsi que les techniciens et techniciennes en électronique œuvrent à la modification du paysage électrique du monde entier.

Les ingénieurs et ingénieures électriques, qui ont suivi leur formation à l'université, sont les spécialistes de la production, du transport, de la distribution et de l'utilisation de l'électricité. Ils manipulent les différentes technologies de l'énergie afin, par exemple, de créer ou d'optimiser les systèmes de production du courant (centrales thermiques, éoliennes, piles solaires, etc.), de développer les réseaux de distribution électrique ou de concevoir des mécanismes utilisant l'électricité de façon optimale. Leur rôle consiste donc à planifier et à mettre en œuvre des projets électriques pour des entreprises de toutes tailles. Les ingénieurs et ingénieures électriques peuvent acquérir une spécialisation, notamment en électronique, en télécommunication, en industrie de fabrication ou en contrôle automatique.

Les appareils qui fonctionnent à l'électricité sont fabriqués, installés et entretenus dans une optique d'efficacité. Ce sont les techniciens et techniciennes en électronique qui, sous la supervision d'ingénieurs ou ingénieures électriques, effectuent ce travail. Celui-ci comprend notamment la fabrication et le contrôle de circuits électriques, ou encore l'installation, l'entretien et la réparation du matériel électronique. Ces spécialistes de l'électronique travaillent généralement pour des entreprises fabriquant du matériel électronique ou pour le gouvernement. C'est au collégial qu'est dispensée la formation pour devenir technicien ou technicienne en électronique. ∎

LES CARRIÈRES ASSOCIÉES À LA CONNAISSANCE DES MATÉRIAUX

La recherche de matériaux aux caractéristiques exceptionnelles

Parmi la vaste gamme des matériaux qui composent les objets qui nous entourent, certains possèdent des caractéristiques particulières, comme celles d'être réfractaires, ductiles ou microscopiques. Des spécialistes des matériaux, comme les ingénieurs et ingénieures chimiques et les techniciens et techniciennes des matériaux, inventent chaque jour de nouveaux matériaux aux caractéristiques de plus en plus avantageuses pour la production d'objets.

Les ingénieurs et ingénieures chimiques exercent leur profession dans divers domaines, dont le secteur pharmaceutique, l'extraction des minerais et la fabrication des pâtes et papiers. Ils peuvent aussi se consacrer à l'élaboration de nouveaux matériaux de fabrication. Ces spécialistes de la chimie transforment les matières premières en matériaux répondant aux besoins de l'industrie, et ce, en visant l'efficacité et la rentabilité des substances produites. Leurs principales tâches sont l'élaboration ou l'amélioration des procédés, la supervision de la production, le contrôle de la qualité des matériaux et la supervision d'équipes de techniciens et techniciennes. Le programme d'ingénierie chimique est offert à l'université.

Une fois les matériaux sur le marché, les techniciens et techniciennes en matériaux les utilisent pour fabriquer divers objets techniques. Selon l'objet à créer, ces spécialistes en soudure, en usinage, en tôlerie et en peinture choisissent les matériaux possédant les caractéristiques appropriées, effectuent la confection, puis testent la qualité du produit. Pour pratiquer ce métier, des études collégiales sont requises. ∎

Un ingénieur chimique testant un nouveau matériau.

Un technicien en matériaux qui effectue une soudure.

CARRIÈRES

LES CARRIÈRES ASSOCIÉES AUX PROCÉDÉS DE FABRICATION

L'art de l'assemblage

Chacun des objets de notre environnement, qu'il s'agisse d'un téléphone, d'une planche à neige ou d'un bureau, a subi un processus de fabrication. La confection des différentes pièces puis leur assemblage en un objet spécifique exigent beaucoup de planification. Celle-ci est la responsabilité des ingénieurs et ingénieures d'industrie et de fabrication. Ces personnes sont appuyées par des outilleurs et outilleuses, pour qui la manipulation des outils de fabrication n'a plus de secret.

Les procédés de fabrication des objets consistent en une chaîne logistique qui inclut l'approvisionnement, le transport, la production et la distribution. Les ingénieurs et ingénieures industriels, aussi nommés ingénieurs et ingénieures d'industrie et de fabrication, supervisent chacune des étapes de cette chaîne. Après leurs études universitaires en génie industriel, ils peuvent concevoir, installer et améliorer des systèmes de production comprenant des personnes, de la machinerie, des matières premières et de l'énergie. Pour exercer ce métier, il faut posséder un esprit logique et méthodique, être à l'affût des innovations technologiques et avoir un bon esprit d'équipe.

Divers outils sont nécessaires à la confection des objets. Ce sont les outilleurs et les outilleuses qui, après avoir suivi une formation professionnelle au secondaire, se chargent de choisir et de faire fonctionner les outils de fabrication. Ces personnes sont employées dans les industries automobile, aérospatiale, métallurgique et électrique ou, tout simplement, dans l'industrie de la fabrication. Très variées, leurs tâches comprennent les suivantes : lire et interpréter les dessins techniques, choisir les méthodes d'exécution, régler, faire fonctionner et entretenir la machinerie nécessaire à la fabrication, assurer le contrôle de la qualité des pièces usinées. Le souci du détail, la dextérité et le sens de la perception spatiale comptent parmi les caractéristiques recherchées chez les outilleurs et outilleuses. ▮

Une ingénieure d'industrie et de fabrication supervise l'installation de la machinerie de fabrication.

Un outilleur teste la qualité d'une machine.

Glossaire

A

ACCUMULATEUR : appareil emmagasinant de l'énergie sous forme chimique et la restituant sous forme électrique.

ADAPTATEUR : appareil permettant de faire fonctionner un appareil nécessitant du courant continu à basse tension (fonctionnant avec des piles) avec le courant alternatif de moyenne tension du secteur.

ADHÉRENCE : contact entre deux surfaces assurant certaines liaisons des pièces mécaniques ou permettant le bon fonctionnement de plusieurs systèmes de transmission de mouvement.

ALLIAGE : produit de caractère métallique résultant de l'incorporation de un ou plusieurs éléments (métalliques ou non) à un métal.

ALTERNATEUR : appareil générant un courant alternatif en mettant à profit le phénomène d'induction magnétique.

ANALOGIQUE : se dit d'un appareil qui représente, traite ou transmet des données sous la forme de variation d'une grandeur physique.

ANTIDÉRAPANT : se dit d'un matériau qui empêche de glisser.

ARC DE CERCLE : portion de cercle comprise entre deux points.

ARÊTE : droite commune à deux plans sécants.

B

BIELLE : barre dont les extrémités sont articulées à deux pièces mobiles et qui assure la transmission ou la transformation d'un mouvement.

BOULON : tige munie de filets de vissage et d'une tête de serrage.

BOUTEROLLE : outil servant à arrondir l'extrémité martelée d'un rivet.

BUTOIR : pièce mécanique contre laquelle vient se heurter l'organe mobile d'un dispositif, d'un outil, d'un mécanisme.

C

CAME : disque tournant, non circulaire, à saillie ou encoche, servant à transformer la rotation en translation.

CARTER : enveloppe protectrice des organes d'un mécanisme.

CATALYSEUR : substance qui, par sa seule présence, provoque ou accélère une réaction chimique.

CHANTOURNER : découper en suivant un profil donné.

CIRCUIT ÉLECTRIQUE : ensemble des composants électriques qui sont traversés par le courant électrique.

CIRCUIT IMPRIMÉ : plaque métallique (en cuivre) déposée sur un support isolant et qui permet de brancher la plupart des composants sans utiliser de fils.

CIRCUIT INTÉGRÉ : circuit de faibles dimensions comportant un grand nombre de composants actifs et passifs produits sur une mince plaquette de silicium.

CIRCUIT MIXTE : circuit électrique combinant simultanément plusieurs façons de brancher les divers composants.

COMMUTATEUR : appareil servant à modifier les connexions d'un ou plusieurs circuits.

CONDENSATEUR : appareil constitué de deux armatures conductrices séparées par un milieu isolant et servant à emmagasiner des charges électriques.

CONDUCTION : action de transmettre le courant électrique (conduction électrique) ou la chaleur (conduction thermique).

CONTACTEUR À VIS : méthode de branchement des fils électriques, dans un circuit, se réalisant à l'aide de vis et ne requérant aucune soudure.

CONTREPLAQUÉ : matériau obtenu par collage sous pression et à fil croisé d'un nombre impair de minces feuilles de bois.

CORDE : ligne droite qui joint deux points d'un cercle.

COTE NOMINALE : dimension théorique parfaite, selon les plans et devis.

COUPLE : valeur obtenue en multipliant la force appliquée sur un objet pouvant tourner par la distance entre le centre de rotation et l'endroit où la force s'applique (le rayon ou bras de levier).

COUPLE MOTEUR : couple produisant la rotation du vilebrequin d'un moteur.

COUPLE RÉSISTANT : couple qu'un moteur doit appliquer à l'axe de rotation d'une machine, d'un appareil ou d'un véhicule pour que ceux-ci fonctionnent normalement.

COURANT ALTERNATIF : courant électrique changeant de sens de déplacement plusieurs fois chaque seconde.

COURANT CONTINU : courant électrique circulant toujours dans la même direction.

COURANT ÉLECTRIQUE : déplacement d'électrons dans un conducteur, généralement un métal.

CRÉMAILLÈRE : pièce rectiligne dentée s'insérant dans une roue dentée pour transformer le mouvement de translation en rotation et inversement.

CURSEUR : pièce mobile comportant un index que l'on peut déplacer le long d'une glissière généralement graduée.

CYLINDRE : pièce de forme tubulaire dans laquelle se déplace un piston de moteur, de pompe, de compresseur.

D

DÉBITAGE : action de découper les matières premières en morceaux.

DEL OU DIODE ÉLECTROLUMINESCENTE : diode émettant une lumière lorsqu'elle est traversée par un courant électrique.

DÉRAILLEUR : mécanisme qui fait passer la chaîne d'un vélo d'une roue dentée à une autre.

DIMENSION : chacune des grandeurs nécessaires à l'évaluation des figures, des solides (longueur, largeur, hauteur ou profondeur).

DIODE : composant électronique ne laissant passer le courant électrique que dans une direction.

DISJONCTEUR : interrupteur automatique de courant, fonctionnant au moment d'une variation anormale de l'intensité ou de la tension.

DYNAMO : appareil servant à générer du courant continu grâce au phénomène d'induction magnétique.

E

ÉCROU : pièce percée d'un trou cylindrique dont la surface interne est creusée d'un sillon en hélice pour recevoir le filet d'une vis.

ÉLECTRICITÉ DYNAMIQUE : électricité provenant du déplacement des électrons dans un conducteur.

ÉLECTRICITÉ STATIQUE : accumulation de charges électriques dans un matériau isolant.

ÉLECTRODE : extrémité de conducteurs électriques ressortant d'une pile, d'un générateur ou d'un appareil électrique.

ENGRENAGE : mécanisme formé de roues dentées en contact se transmettant un mouvement de rotation.

EXCENTRIQUE : caractéristique d'un dispositif dont l'axe de rotation est décalé du centre.

F

FILIÈRE : outil avec lequel on effectue le filetage extérieur des vis et des boulons.

FLUIDE : corps liquide ou gazeux dont les molécules faiblement liées lui permettent de prendre la forme du contenant qui le contient.

FLUIDE DE COUPE : liquide utilisé au cours de l'usinage des pièces de métal pour réduire la friction et contrôler la température sur les accessoires de perçage ou de coupe.

FUSEAU : portion d'une surface de révolution découpée par deux demi-plans passant par l'axe de cette surface.

FUSIBLE : fil d'alliage spécial qui, placé dans un circuit électrique, coupe le courant en fondant si l'intensité de ce courant est trop forte.

G

GALET : petite roue pleine servant à réduire le frottement et à faciliter le roulement.

GUIDAGE : ensemble des dispositifs servant à donner une direction à une pièce.

H

HACHURE : chacun des traits parallèles ou entrecroisés qui servent à marquer les volumes, les ombres et les demi-teintes dans un dessin.

HYDRAULIQUE : se dit d'un appareil qui fonctionne grâce à un liquide.

I

INCOMPRESSIBLE : caractéristique d'une substance dont le volume ne peut être diminué sous l'effet de la pression.

INTERRUPTEUR : appareil servant à interrompre ou à rétablir un courant électrique en ouvrant ou en fermant son circuit.

ISOLANT : matériau qui est un mauvais conducteur de l'électricité, de la chaleur ou du son.

L

LINGOT : masse d'un métal ou d'un alliage ayant conservé la forme du moule dans lequel il a été coulé.

LUBRIFICATION : action de graisser, de rendre glissant pour atténuer le frottement et faciliter le fonctionnement.

M

MANIVELLE : organe de machine transformant un mouvement linéaire alternatif en un mouvement circulaire continu.

MATRICE : résine synthétique dont est enduit un renfort et qui sert à lui transmettre les charges.

O

OURLET : repli au bord d'une étoffe ou d'un matériau mince.

P

PÉDALIER : ensemble mécanique comprenant les pédales, les manivelles et les plateaux d'une bicyclette.

PENTAVALENT : se dit d'un élément qui possède la valence 5, c'est-à-dire cinq électrons de valence.

PHOTOVOLTAÏQUE (PILE) : composant électrique, à base de sélénium, qui génère du courant continu lorsque la lumière le frappe. Aussi appelé « pile solaire ».

PIGNON : la plus petite des roues dentées d'un engrenage.

PISTON : disque se déplaçant dans le corps d'une pompe ou dans le cylindre d'un moteur à explosion ou à vapeur.

POTENTIOMÈTRE : résistance variable à trois bornes permettant d'obtenir une tension variable à partir d'une source de courant à tension constante.

PLAN DE COUPE : surface plane imaginaire traversant un objet pour le diviser en deux ou plusieurs parties qui laissent paraître les détails internes de cet objet.

PNEUMATIQUE : se dit d'un appareil qui fonctionne grâce à l'air ou à tout autre gaz.

POINT DE FUITE : point d'un dessin en perspective où convergent des droites parallèles dans la réalité.

PROJECTION AXONOMÉTRIQUE : mode de représentation graphique d'une figure à trois dimensions dans lequel les arêtes de référence sont projetées suivant des droites formant entre elles des angles de 120°.

PROJECTION ISOMÉTRIQUE : mode de représentation graphique d'une figure où les trois arêtes principales sont placées à des angles égaux l'une par rapport à l'autre, soit 120°.

PROJECTION ORTHOGONALE : mode de représentation graphique d'une figure dont la direction est orthogonale (perpendiculaire, c'est-à-dire à 90°) à l'axe ou au plan de projection.

R

RÉFRACTAIRE : se dit d'un matériau qui résiste à de très hautes températures.

RELAIS : appareil servant à activer, à distance, un composant électrique ou un circuit.

RELAIS ÉLECTRONIQUE : relais n'utilisant que des composants électroniques.

RENFORT : fibres de tous genres qui servent d'ossature ou de support à un matériau.

RÉSISTANCE PURE (RÉSISTOR) : composant électrique qui s'oppose au passage des électrons. L'énergie perdue par les électrons se traduit par une génération d'énergie thermique au sein de la résistance.

RÉVERSIBLE : qui peut revenir en arrière, qui peut se produire en sens inverse.

RHÉOSTAT : résistance variable à deux bornes de branchement qui, placée dans un circuit, permet de modifier la valeur d'un courant.

RIDOIR : dispositif servant à tendre un cordage ou une chaîne.

RONDELLE : petit disque percé que l'on place entre une vis ou un écrou et la pièce à serrer pour transmettre et répartir l'effort de serrage sur la pièce.

ROTOR : partie mobile d'une machine tournante. Dans un dispositif à induction magnétique ou un moteur électrique, le rotor supporte un enroulement tournant (bobinage) de fils.

S

SCHÉMA : dessin représentant les éléments essentiels d'un objet ou d'un ensemble complexe et destiné à expliquer son mode de fonctionnement.

SECTEUR : partie de plan limitée par deux demi-droites de même sommet.

SECTION : dessin en coupe mettant en évidence certaines particularités d'une construction ou d'une machine.

SÉLECTEUR : commutateur électrique permettant de choisir plusieurs parcours électriques.

SEMI-CONDUCTEUR : se dit d'un corps non métallique qui possède une conductivité électrique intermédiaire entre celles des métaux et des isolants électriques.

SOUPAPE : obturateur sous tension de ressort dont le soulèvement et l'abaissement alternatifs permettent de régler le mouvement d'un fluide.

SUPRACONDUCTIVITÉ : propriété d'un matériau dont la résistivité devient presque nulle au-dessous de certaines températures, extrêmement basses.

STATOR : partie fixe d'une machine tournante. Dans un dispositif à induction magnétique ou un moteur électrique, le stator supporte un enroulement fixe (bobinage) de fils.

T

TARAUD : outil avec lequel on effectue un filet hélicoïdal à l'intérieur d'un trou destiné à recevoir une vis.

TENSION ÉLECTRIQUE : différence de potentiel développée par une source et permettant de faire circuler les électrons et ainsi produire un courant.

TÉTRAVALENT : se dit d'un élément qui possède la valence 4, c'est-à-dire quatre électrons de valence.

THERMOCOUPLE : composant électrique formé de deux fils de métaux différents torsadés l'un sur l'autre et qui permet de mesurer des différences de température.

THERMODURCISSABLE : propriété des plastiques qui durcissent lorsqu'ils sont exposés à la chaleur.

THERMOFUSIBLE : se dit d'une substance qui fond sous l'action de la chaleur.

THERMOPLASTIQUE : plastique se ramollissant sous l'effet de la chaleur et se durcissant lorsqu'il se refroidit.

TIGE FILETÉE : tige munie de filets comme ceux d'une vis.

TOLÉRANCE : écart admis entre les mesures réelles d'une pièce et les mesures prévues.

TRACÉ FINAL : dessin définitif des formes d'un objet.

TRACÉ PRÉLIMINAIRE : dessin temporaire des formes d'un objet.

TRAIT CONVENTIONNEL : tracé reconnu par tout le monde, à la suite d'un accord.

TRANSFORMATEUR : appareil électromagnétique statique qui permet de modifier la valeur d'une tension électrique, et du courant, par le biais de deux ou plusieurs bobines mises côte à côte.

TRANSISTOR : dispositif à semi-conducteurs qui peut amplifier les courants électriques, engendrer des oscillations électriques et assumer les fonctions de modulation et de détection.

TRIVALENT : se dit d'un élément qui possède la valence 3, c'est-à-dire trois électrons de valence.

V

VALENCE : nombre maximal de liaisons chimiques qu'un élément chimique peut former et, par le fait même, nombre d'électrons situés sur sa couche de valence.

VELCRO : système de fermeture constitué de deux rubans s'accrochant l'un à l'autre par l'intermédiaire de leurs fibres textiles.

VILEBREQUIN : arbre qui transforme un mouvement rectiligne alternatif en mouvement de rotation.

Index

Références *photographiques*

Légende - d : droite, g : gauche, h : haut, b : bas, c : centre, e : extrême

CHAPITRE 13 : page 644-645 : Roger Harris / SPL / Publiphoto • page 644b : Maximilian Stock Ltd / Science Photo Library • page 645c : James Holmes / Science Photo Library • page 645b : © Lester Lefkowitz / Corbis • page 646d : Sheila Terry / Science Photo Library • page 671 : David Parker for ESA / CNES / Arianespace / Science Photo Library.

CHAPITRE 14 : page 678g : Maximilian Stock Ltd / Science Photo Library • page 678d : J-L Charmet / Science Photo Library • page 686 : © James L. Amos / Corbis • page 689c : Peter Menzel / Science Photo Library • page 702b : © Hein van den Heuvel / zefa / Corbis.

CHAPITRE 15 : page 716d : © Christopher Morris / Corbis • page 730gb : © David Michael Zimmerman / Corbis • page 744b : © Gregor Schuster / zefa / Corbis.

CHAPITRE 16 : page 754g : James Holmes / Science Photo Library • page 754d : © Jim Sugar / Corbis • page 755(1) : © Benelux / zefa / Corbis • page 755(2) : © DK Limited / Corbis • page 756 : Maurice Nimmo / Science Photo Library • page 758 : Astrid & Hanns-frieder Michler / Science Photo Library • page 760h : Tim Hazael / Science Photo Library • page 760b : © Marc Lecureuil / Corbis • page 761h : © Atlantide Phototravel / Corbis • page 762g : © Christie's Images / Corbis • page 762d : Pasquale Sorrentino / Science Photo Library • page 763c : Rosenfeld Images Ltd / Science Photo Library • page 767c : © Ted Horowitz / Corbis • page 767b : © Owaki-Kulla / Corbis • page 769g : Michael Donne / Science Photo Library • page 770hg : Tim Hazael / Science Photo Library • page 770bg : © Crady von Pawlak / Corbis • page 770d : Mark Burnett / Photo Researchers, Inc.

CHAPITRE 17 : page 774g : © Lester Lefkowitz / Corbis • page 774d : AJ Photo / Science Photo Library • page 786b : © Paul A. Souders / Corbis • page 791b : © Image Source / Corbis • page 799b : © Atlantide Phototravel / Corbis.

TIROIR TECHNO : page 804b : © Stuart Freedman / Corbis • page 805h : © George Steinmetz / Corbis • page 806 : © LWA-Sharie Kennedy / Corbis • page 807h : © William Taufic / Corbis.